Fascicule 3 : ingénierie et construction

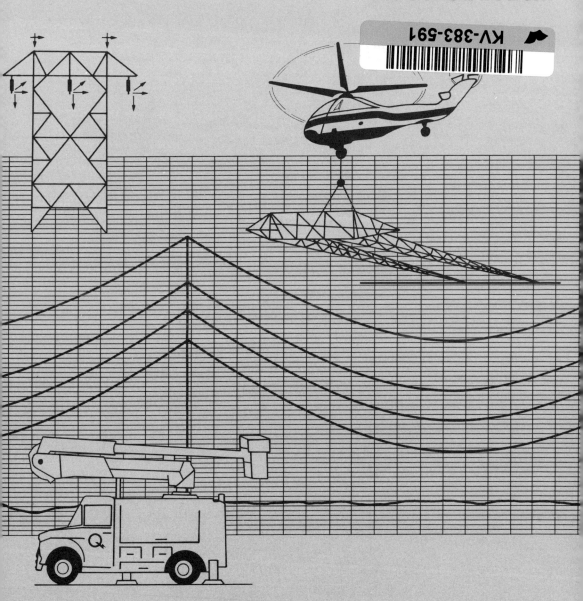

Vocabulaire illustré des lignes aériennes de transport et de distribution d'électricité

Première édition 1984
Nouveau tirage 1990

Dépôt légal — 4e trimestre 1984
Bibliothèque nationale du Québec
Bibliothèque nationale du Canada
ISBN 2-550-11591-0

963-2159

Le fascicule 3 du vocabulaire a été réalisé par

la division Terminologie et Documentation
Service Rédaction et Terminologie
Direction Édition et Production

avec la collaboration du

Comité de référence des lignes aériennes
d'Hydro-Québec

composé de

Marie Archambault, remplacée par Denise Lemay
de mai à octobre 1984
Service Rédaction et Terminologie

Jean-Pierre Bellerive
Direction Appareillage

Pauline Jourdain
Direction Distribution

Michel Lamarre
Direction Construction

Nick Piperni, remplacé par Jean-Claude Carrière
en août 1984
Direction Ingénierie de lignes

Gigi Vidal
Coordonnatrice du comité
Service Rédaction et Terminologie

et avec le concours des personnes-ressources suivantes :

Michel Bigras
Direction Appareillage

Élias Ghannoum
Direction Ingénierie de lignes

Illustrations :

Daniel Rhéaume
Service Formation technique et Systèmes d'information
Direction Appareillage

Graphisme :

Ginette Grégoire
Service Publicité
Direction Édition et Production

Avant-propos

Le *Vocabulaire illustré des lignes aériennes de transport et de distribution d'électricité* vise à normaliser la terminologie des lignes au sein d'Hydro-Québec. Il s'adresse au personnel d'Hydro-Québec, de même qu'aux consultants et aux entrepreneurs chargés de travaux dans ce domaine.

Le vocabulaire se présente en quatre fascicules : le premier porte sur les supports, le deuxième, sur les conducteurs et les isolateurs, le troisième, sur la conception et la construction des lignes et le quatrième sur l'entretien. Dans chaque fascicule, les termes sont classés par ordre alphabétique, à l'intérieur de subdivisions qui les regroupent suivant un ordre logique. Un index, qui se trouve à la fin du fascicule, permet de retracer rapidement un terme isolé. Règle générale, on peut également trouver un terme à partir de son équivalent anglais en consultant l'index des termes anglais qui fait suite à l'index des termes français.

Les termes présentés dans le vocabulaire ont été choisis par le Comité de référence des lignes aériennes d'Hydro-Québec. Ce comité a été constitué en juillet 1980 par le service Rédaction et Terminologie, qui en assure également la coordination. Il est composé de spécialistes des domaines de la conception, de la construction et de l'exploitation des lignes et d'une termi-nologue du service Rédaction et Terminologie. Le comité a convenu d'adopter la terminologie française en usage à l'échelle internationale, sauf lorsque des réalités spécifiquement nord-américaines amenaient à s'en écarter et à proposer un terme nouveau. Par ailleurs, certains termes du vocabulaire font déjà l'objet d'un avis de normalisation de l'Office de la langue française du Québec. Par contre, les termes anglais n'ont pas été normalisés ; ils ne figurent dans le vocabulaire qu'à titre informatif.

Au fur et à mesure de l'élaboration du vocabulaire, les membres du comité ont mené des
consultations au sein de leur direction. En dernière étape, la consultation a été étendue à
d'autres unités administratives susceptibles
d'utiliser la terminologie des lignes aériennes.
Nous remercions toutes les personnes consultées
de leur collaboration, ainsi que Nicole April,
Donald J. Bryant, Francine Doray, Denise T. Fortin,
Roxane Fraser, Jean-Marc Lambert et Lesley
Régnier, du service Rédaction et Terminologie,
qui ont participé à la réalisation du vocabulaire.

Nous espérons que le présent document saura
être utile et que les utilisateurs voudront bien
communiquer leurs observations et leurs
critiques au service Rédaction et Terminologie.

Notes préliminaires

Les termes du vocabulaire ont été systématiquement définis. Les chiffres donnés entre
parenthèses à la suite des définitions indiquent
la ou les sources consultées et renvoient à la
section « Références ».

Quand plusieurs termes précèdent une définition,
le premier est celui que privilégie le comité.
Les synonymes sont donnés immédiatement
au-dessous et sont énumérés par ordre de
préférence. Les mots entre parenthèses à la fin
ou au milieu d'un terme sont d'usage facultatif.

Une note, c'est-à-dire un paragraphe ou un
groupe de paragraphes précédé d'un point,
suit parfois la définition ; on y trouve des
explications complémentaires, la mention d'un
terme à éviter ou encore une mise en garde.
Dans certains cas, la mention *V.a. (voir aussi)*
renvoie à un ou plusieurs autres termes qui ont
une certaine relation avec le terme traité.

Viennent ensuite le ou les équivalents anglais.
Quand plusieurs équivalents sont donnés,
ils sont énumérés suivant la fréquence d'utilisation, le plus fréquent apparaissant en premier.

Enfin, une ou plusieurs illustrations
accompagnent la plupart des termes définis.

Pour quelques termes, le lecteur trouvera
la définition dans une autre partie du fascicule,
où le même terme est traité de façon exhaustive.
Il y est renvoyé à l'aide de la mention *V. (voir)*.

1. Ingénierie

1.1 Généralités

1. angle de balancement

Angle formé par la verticale passant par le conducteur à sa position de repos et le plan contenant le conducteur auquel sont appliquées certaines charges, par exemple le vent. (5, 94)

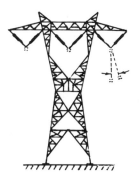

● L'angle de balancement peut aussi être formé par la verticale et le plan contenant, selon le cas, la chaîne d'isolateurs, la pince de suspension ou le câble de garde auquel sont appliquées certaines charges. On parlera alors de l'« angle de balancement de la chaîne d'isolateurs », de l'« angle de balancement de la pince de suspension » et de l'« angle de balancement du câble de garde ».

V.a. balancement

Swing angle

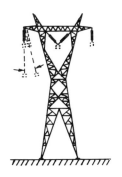

2. angle de protection
angle de garde

Angle formé par la verticale passant par le câble de garde et le plan contenant le conducteur et le câble de garde à protéger contre la foudre. (3, 5, 6, 24, 94)

Shielding angle
Angle of shade
Angle of protection

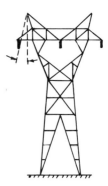

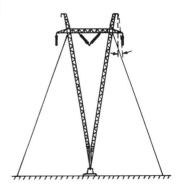

3. balancement

Déplacement horizontal d'un point quelconque d'un conducteur par rapport à sa position de repos, sous l'effet de certaines charges. (5, 6, 10, 30, 65, 94)

V.a. angle de balancement

Swing

4. distance

Terme générique servant à désigner la longueur qui doit séparer deux conducteurs, un conducteur et son support ou tout autre objet, ou un conducteur et le sol, principalement pour des raisons de sécurité. (3, 5, 30, 94)

• Le terme « distance » revêt un caractère obligatoire, normatif lorsqu'on le qualifie de « minimale » ou de « maximale ».

La norme ACNOR C 22.3 N° 1-M1979, pour répondre à des besoins très particuliers, utilise plutôt le terme « dégagement » et le définit comme la « distance minimale entre deux objets mesurée à un endroit où l'un des objets au moins est mobile ».

V.a. distance à la masse, distance au sol, distance aux obstacles, distance entre phases, écartement, espacement

Clearance

5. distance à la masse

Distance la plus courte entre les conducteurs ou une pièce métallique sous tension et tout élément du support censé être au potentiel du sol. (5, 6, 24, 30, 48, 94)

● L'expression « distance phase-terre » est à déconseiller.

Live-metal to ground clearance
Clearance to ground potential

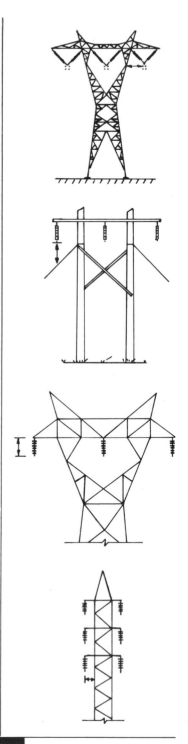

6. distance au sol

Distance la plus courte entre un conducteur ou une pièce métallique sous tension et le sol. (5, 24, 30, 67)

• L'expression « hauteur des conducteurs » est à déconseiller.

Ground clearance
Clearance to ground

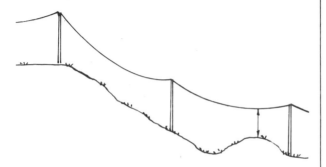

7. distance aux obstacles

Distance la plus courte entre un conducteur ou une pièce métallique sous tension et tout obstacle fixe ou mobile (par exemple, route, voie ferrée, pont, ligne, etc.) censé être au potentiel du sol, situé sous la ligne ou à proximité. (5, 24, 30, 94)

Clearance to obstacles

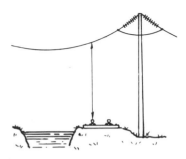

8. distance entre phases distance entre conducteurs

Distance entre les axes de deux conducteurs au repos, adjacents ou superposés, de phases différentes, ou entre les centres de deux faisceaux de conducteurs à leur position de repos. (4, 5, 6, 24, 30, 94)

● L'expression « distance phase-phase » est à déconseiller.

Phase spacing
Conductor spacing

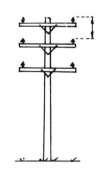

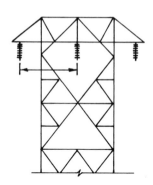

9. écartement

Distance entre les points les plus rapprochés de deux objets fixes, par exemple un transformateur et le sol, deux traverses fixées sur un même support, etc. (5, 30, 65)

● L'expression « écartement » est tirée de la norme ACNOR C 22.3 N° 1-M1979 et répond à des besoins très particuliers.

Separation

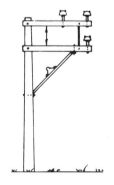

10. espacement

Distance centre à centre entre deux objets fixes, par exemple deux sous-conducteurs d'un faisceau maintenus par des entretoises, etc. (5, 30, 65)

● L'expression « espacement » est tirée de la norme ACNOR C 22.3 N° 1-M1979 et répond à des besoins très particuliers.

Spacing
Centre distance

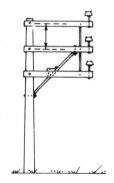

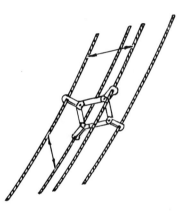

1.2 Calculs

1.2.1 Calculs des supports

11. allongement

Déformation d'un élément de la ligne se
traduisant par une augmentation de longueur.
(5, 6, 14, 70, 94, 101, 102)

• Les efforts de traction et les élévations de
température sont les causes les plus
communes de l'allongement.

Elongation

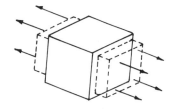

12. cas de charge

Ensemble des forces appliquées à un élément
de la ligne dans une hypothèse de charge
donnée. (5, 24)

• L'expression « cas de chargement » est
à éviter.

Loading case

13. charge

Force externe appliquée à un élément de la
ligne. (4, 5, 24, 30, 94, 95)

• Il existe des « charges statiques » comme la
tension, le poids des conducteurs, et des
« charges dynamiques » comme le balancement, la décharge du givre ou du verglas,
le changement de température.

V.a. effort, force

Load
Loading

14. charge climatique

Charge due au givre, au verglas, au vent ou à la température. (5, 24, 30)

● L'expression « charge atmosphérique » s'emploie également pour désigner la charge climatique.

On désigne par « charge combinée » la charge de verglas associée à la charge de vent.

V.a. charge de givre, charge de vent, charge de verglas

Weather loading

15. charge de construction

Charge résultant des opérations courantes de construction. (5, 24)

Construction load

16. charge de givre

Charge résultant de la formation d'un dépôt granuleux de glace blanche opaque ayant une densité variant entre 0,3 et 0,9 g/cm^3. (4, 5, 10, 24, 94)

● Le givre est produit par la congélation de gouttelettes en surfusion présentes dans les nuages.

V.a. charge climatique, charge de verglas

Rime loading

17. charge de givre dissymétrique

Charge de givre répartie irrégulièrement le long des conducteurs ou des câbles de garde d'un canton. (4, 5, 6, 24, 94)

• Ce phénomène peut apparaître lorsque la formation de givre n'est pas uniforme ou lorsque sa décharge n'est pas simultanée.

Unequal rime loading
Asymmetrical rime loading
Nonuniform rime loading

18. charge de givre uniforme charge de givre symétrique

Charge de givre répartie régulièrement le long des conducteurs ou des câbles de garde, et sur toutes les portées d'un canton. (4, 5, 6, 24, 94)

Uniform rime loading
Symmetrical rime loading

19. charge d'entretien

Charge résultant des opérations courantes d'entretien. (5, 24)

Maintenance load

20. charge de rupture

Charge qui entraîne la ruine d'un ou de plusieurs éléments de la ligne. (24)

Failure load
Breaking load

21. charge de service

Hypothèse de charge qui correspond à des conditions sans givre, sans verglas et sans vent à une température donnée. (4, 5)

● Les expressions « charge journalière » et « charge de tous les jours » sont à déconseiller.

Working load
Everyday load

22. charge d'essai

Charge appliquée à un ou plusieurs éléments de la ligne au cours d'un essai. (24)

Test load

23. charge de vent

Charge résultant de l'action du vent sur tout élément de la ligne. (5, 24)

V.a. charge climatique

Wind load

24. charge de verglas

Charge résultant de la formation d'un dépôt de glace, généralement homogène et transparent, souvent accompagné de glaçons et ayant une densité de 0,9 g/cm³. (4, 5, 6, 94)

• Le verglas est produit par une pluie verglaçante.

V.a. charge climatique, charge de givre

Glaze loading

25. charge de verglas dissymétrique

Charge de verglas répartie irrégulièrement le long des conducteurs ou des câbles de garde d'un canton. (4, 5, 6, 24, 94)

• Ce phénomène peut apparaître lorsque la formation de verglas n'est pas uniforme ou lorsque sa décharge n'est pas simultanée.

Unequal glaze loading
Asymmetrical glaze loading
Nonuniform glaze loading

26. charge de verglas uniforme
charge de verglas symétrique

Charge de verglas répartie régulièrement le long des conducteurs ou des câbles de garde, et sur toutes les portées d'un canton. (4, 5, 6, 24, 94)

Uniform glaze loading
Symmetrical glaze loading

27. charge (horizontale) longitudinale

Charge horizontale appliquée au support en un point donné et située, quand le support est en alignement, dans le sens de la ligne. (4, 5, 24, 30, 48)

● Une traction exercée de façon inégale par les conducteurs ou les câbles de garde de part et d'autre d'un support est un exemple de charge longitudinale. L'expression « charge débalancée » est à éviter dans ce sens : on emploiera plutôt « charge déséquilibrée ».

On peut aussi, selon le contexte, parler d'« effort (horizontal) longitudinal » ou de « force (horizontale) longitudinale ».

L'expression « charge axiale » est à éviter.

Longitudinal load

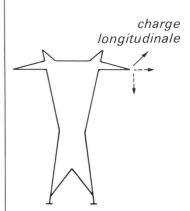

charge longitudinale

28. charge (horizontale) transversale

Charge horizontale appliquée au support en un point donné et située, quand le support est en alignement, dans un plan perpendiculaire à la ligne. (4, 5, 9, 24, 30, 48)

• La pression exercée par le vent sur l'armement, les conducteurs et le support lui-même, l'effet d'un angle dans la ligne sont des exemples de charges transversales.

On peut aussi, selon le contexte, parler d'« effort (horizontal) transversal » ou de « force (horizontale) transversale ».

Transverse load

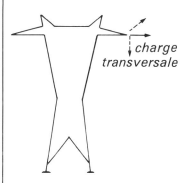

charge transversale

29. charge limite

Charge au-delà de laquelle un élément de la ligne subit des déformations permanentes inacceptables. (5)

Limit load

30. *charge verticale*

Charge dirigée de haut en bas et appliquée au support en un point donné. (4, 5, 9, 24, 30, 48)

• La pression exercée par la masse de l'armement, des conducteurs et du support lui-même plus la masse de tout ce que ces éléments supportent sont des exemples de charges verticales.

On peut aussi, selon le contexte, parler d'« effort vertical » ou de « force verticale ».

Vertical load

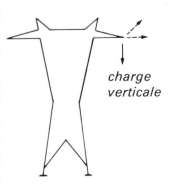

*charge
verticale*

31. *cisaillement*

Action que subit un élément de la ligne et qui tend à le trancher par suite du déplacement relatif de deux surfaces. (5, 6, 44, 94)

Shear

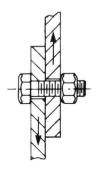

32. compression

Action par laquelle deux forces opposées tendent à rapprocher deux points distincts d'un élément de la ligne. (5, 6, 44, 94, 95, 101)

V.a. traction

Compression

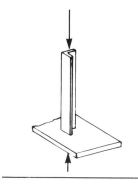

33. contrainte

Force interne de sens et de direction donnés agissant sur une unité d'aire (mm², cm², etc.) d'un élément de la ligne. (4, 5, 6, 94, 95)

● Ainsi, pour un même effort, la contrainte ne sera pas la même en différents points d'un élément dont la section varie.

V.a. effort

Stress

34. couple

Système de deux forces parallèles, égales et de sens contraires. (44)

● Le serrage d'un écrou à l'aide d'une clé est un exemple de « couple de serrage ».

Torque

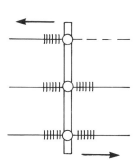

35. déformation

Terme générique désignant toute modification, sous l'application d'une charge ou sous l'effet d'une variation de température, des dimensions ou de la forme d'un élément de la ligne. (5, 6, 95, 97, 101)

• L'allongement et le fluage sont, par exemple, des déformations.

Strain
Deformation

36. effort
sollicitation

Force interne provoquée dans un élément de la ligne par des actions extérieures. (4, 5, 24, 94, 95)

• Il existe divers types d'efforts tels que « moment de flexion » (flexural moment, bending moment), « moment de torsion » (torsional moment), « effort tranchant » (shear force), « effort de compression » (compression force), etc.

V.a. charge, contrainte, force

Stress
Strain

37. facteur de charge

Facteur établi par le concepteur et par lequel on multiplie un cas de charge pour obtenir la charge limite. (5)

● L'expression « coefficient de surcharge » est à éviter.

Load factor

38. facteur de sécurité

Rapport entre la résistance limite qu'offre un élément de la ligne et la charge qui lui est appliquée, ces deux grandeurs étant exprimées dans les mêmes unités. (5)

Safety factor

39. facteur d'utilisation

Rapport entre l'utilisation réelle d'un élément de la ligne et son utilisation maximale théorique. (5)

● Le facteur d'utilisation d'un support, par exemple, est le rapport entre la portée réelle et la portée maximale.

Utilization factor
Utilization rate
Use factor

40. *flambement*
flambage

Phénomène d'instabilité de forme qui se manifeste dans des pièces soumises à un effort normal de compression. (5, 6, 44, 94, 95, 101)

● Il existe différents types de flambements : « flambement de flexion » (flexural buckling), « flambement de torsion » (torsional buckling) et « flambement local » ou « voilement » (local buckling).

Buckling

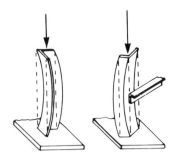

flambement de flexion

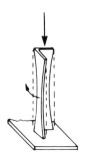

flambement de torsion

flambement local

41. fluage

Phénomène se manifestant dans le temps par un accroissement progressif de la déformation sous l'effet d'une charge constante. (4, 5, 44, 95, 96, 97)

• Les conducteurs, les haubans et les câbles de garde subissent le fluage.

Creep

42. force

Action mécanique représentée par une direction, un sens et une grandeur.
(4, 5, 6, 29, 94, 95)

V.a. charge, effort

Force

43. hypothèse de charge

Ensemble de conditions de nature normative, réglementaire ou météorologique devant être considérées pour le calcul de chaque élément d'une ligne aérienne. (5, 24, 30)

• Les « charges hypothétiques » définies dans la norme ACNOR C 22.3 N° 1-M1979 constituent, par exemple, une hypothèse de charge.

Loading assumptions

44. limite d'élasticité limite élastique

Contrainte au-delà de laquelle un élément de la ligne subit des déformations résiduelles irréversibles. (4, 5, 6, 95)

Elastic limit

45. pression

Contrainte exercée vers l'intérieur et qui agit sur une surface donnée d'un élément de la ligne. (5, 29, 70)

V.a. tension (mécanique)

Pressure
Bearing pressure

46. température d'exploitation

Température maximale d'un conducteur parcouru par son courant admissible. (5, 106)

• La température d'exploitation peut servir de température de référence pour définir la distance minimale au sol.

Operating temperature

47. tension (mécanique)

Contrainte exercée vers l'extérieur et qui tend à allonger un élément de la ligne. (5, 29, 101)

V.a. pression

Tension

48. torsion

Action résultant de deux couples opposés agissant dans des plans parallèles. (5, 6, 29, 70)

Torsion

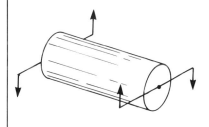

49. traction

Action par laquelle deux forces opposées tendent à éloigner deux points distincts d'un élément de la ligne. (5, 101)

V.a. compression

Tension

1.2.2 Calculs des fondations

50. argile

Sol sédimentaire meuble, imperméable et cohérent, constitué de particules d'un diamètre inférieur à 0,002 mm. (5, 6, 8, 65, 94, 103)

• Les expressions « glaise » et « terre glaise » sont plus générales et désignent un type de terre riche en argile.

Clay

51. centre (instantané) de rotation

Point, considéré à un instant donné, autour duquel un massif tend à se renverser. (4, 5, 6, 102)

V.a. moment de renversement

Centre of rotation

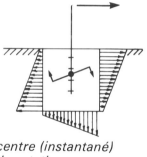

centre (instantané) de rotation

52. cohésion

1° Propriété permettant aux particules de sol de rester associées les unes aux autres. (27, 103)

2° Pour un sol cohérent (par opposition à un sol pulvérulent), composante de la résistance au cisaillement. (4, 5, 6, 10)

Cohesion

53. déplacement latéral

Composante horizontale du mouvement de la fondation sous l'effet des charges qui lui sont appliquées. (5)

V.a. soulèvement, tassement

Lateral displacement

54. effort d'arrachement effort de soulèvement

Effort que subissent les ancrages ou les fondations à pieds séparés, dirigé de bas en haut le long de leur axe respectif. (4, 5, 6, 10, 70)

● Le sol s'oppose à l'effort d'arrachement par son poids propre et par sa résistance au cisaillement.

Uplift force

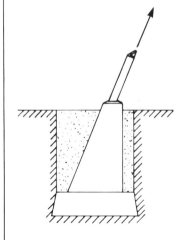

55. force portante admissible capacité portante admissible

Effort que le sol peut supporter sous une fondation selon une hypothèse donnée. (5, 27)

Allowable bearing capacity

56. force portante limite capacité portante limite

Effort maximal que le sol peut supporter sous une fondation. (5, 27)

• Le dépassement de la force portante limite cause une rupture du sol.

Ultimate bearing capacity

57. frottement

Composante de la résistance au cisaillement due à la résistance au déplacement qu'offre la géométrie des particules qui sont soumises aux efforts internes du sol. (4, 5, 6, 10, 102)

• Pour des besoins de calculs, le frottement s'exprime par l'« angle de frottement interne » (angle of internal friction).

Friction

58. gravier

Ensemble de particules d'un diamètre compris entre 2 et 20 mm provenant de l'érosion mécanique et de la fragmentation des roches ou des minéraux par les agents naturels (gel, dessication, etc.). (5, 6, 8, 65, 103)

● Les expressions « pierre broyée » (broken stone) ou « pierre concassée » (crushed stone) désignent un matériau obtenu par fragmentation des roches ou des minéraux par des agents artificiels. La pierre broyéc possède sensiblement les mêmes caractéristiques que le gravier.

Gravel

59. marécage

Étendue de terrain imprégnée ou recouverte d'eau, occupée par une végétation surtout arbustive. (5, 8, 65, 70, 109, 139)

V.a. tourbière

Marsh
Swamp

60. moment d'encastrement

Action stabilisatrice des terres à proximité
d'une fondation qui travaille au renversement.
(4, 5)

Fixed-end moment
Moment at fixed end

61. moment de renversement

Action que subit la fondation d'un support ou
l'encastrement d'un poteau, sous l'effet d'une
force horizontale appliquée dans le plan du
massif ou du poteau, à une hauteur donnée
au-dessus du sol et à une distance donnée
au-dessus de l'assise de fondation. (4, 5, 6, 10)

V.a. centre (instantané) de rotation

Overturning moment

62. mort-terrain

Tout sol se trouvant au-dessus de la roche.
(4, 5)

• À Hydro-Québec, l'expression « mort-
terrain » sous-entend que le terrain est exca-
vable sans concassage ni dynamitage.

Overburden
Dead ground

63. résistance au cisaillement

Résistance limite du sol au glissement ou au cisaillement, formée par deux composantes : la cohésion et le frottement. (4, 5, 104)

Shear strength

64. résistance en pointe (d'un pieu)

Composante de la résistance du sol sous la base d'un pieu soumis à un effort d'enfoncement. (5)

Toe resistance of a pile
Point resistance of a pile

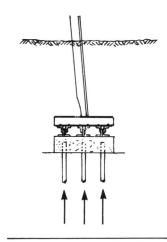

65. résistance par frottement latéral (d'un pieu)

Composante de la résistance du sol le long de la paroi d'un pieu soumis à un effort d'enfoncement. (5)

● La résistance par frottement latéral tient à la fois du frottement de la paroi sur le terrain et de la résistance au cisaillement du terrain lui-même au voisinage immédiat de la paroi.

Resistance due to side friction (on a pile)
Resistance due to lateral friction (on a pile)

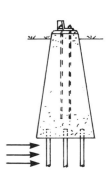

66. roche

Masse minérale homogène liée par des forces de cohésion importantes et permanentes (par opposition à la terre). (5, 6, 8, 65)

• L'expression « roc » est à éviter dans ce sens.

Rock

67. sable

Ensemble de grains ou de menus fragments de minéraux ou de roches, d'un diamètre compris entre 0,02 et 2 mm. (5, 6, 8, 29, 65, 103)

• On distingue le « sable fin » (fine sand) constitué de particules d'un diamètre compris entre 0,02 et 0,2 mm et le « sable grossier » (coarse sand) constitué de particules d'un diamètre compris entre 0,2 et 2 mm.

Sand

68. soulèvement

Composante verticale, de bas en haut, du mouvement de la fondation sous l'effet des charges qui lui sont appliquées. (5)

V.a. déplacement latéral, tassement

Uplift

69. tassement

Composante verticale, de haut en bas, du mouvement de la fondation sous l'effet des charges qui lui sont appliquées. (4, 70, 105)

V.a. déplacement latéral, soulèvement

Settlement

70. tassement différentiel

Différence des tassements entre deux points des fondations d'un support. (4, 5, 27, 105)

Differential settlement

71. terre

Matière de composition variable (par exemple
la terre végétale, la terre glaise, etc.) qui, par
opposition à la roche, peut être séparée
par de légères actions mécaniques. (5, 6,
8, 65, 70)

Soil

72. tourbière

Formation végétale en terrain humide,
résultant de l'accumulation de matières
organiques partiellement décomposées.
Une tourbière constitue un sol cohérent
et élastique. (5, 65, 70, 109, 139)

V.a. marécage

Bog
Muskeg
Peat bog

1.3 Portées

73. canton

Suite de portées comprises entre deux supports d'ancrage ou d'arrêt. (4, 5, 6, 10, 24, 94, 96, 110)

• Dans le domaine de la construction des lignes, en particulier du réglage des conducteurs, on parle plus précisément de « canton de pose ».

Section

74. chaînette

Forme de la courbe prise par un conducteur comparable à un fil pesant, homogène, inextensible et souple suspendu entre deux supports. (4, 5, 6, 10, 15, 24, 94)

• Éviter d'employer « caténaire » dans le sens de « chaînette ». « Caténaire » est un terme utilisé dans les domaines de l'éclairage public et des chemins de fer pour désigner un câble conducteur avec sa suspension.

Catenary

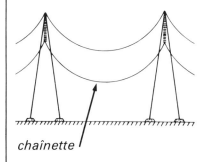

chaînette

75. couloir

Espace nécessaire au passage d'une ou de plusieurs lignes aériennes. (3, 5, 6, 15, 99)

● L'expression « corridor » est à déconseiller dans ce sens.

V.a. emprise (n° 11, fascicule 1)

Line corridor

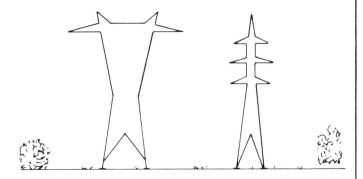

76. équation de changement d'état

Équation qui permet de calculer la tension mécanique d'un conducteur dans une hypothèse déterminée en partant de la tension connue du même conducteur dans une autre hypothèse. (4, 5, 10, 94)

Change-of-state equation

77. flèche

Distance maximale verticale, dans une portée, entre un conducteur et la droite joignant ses points d'accrochage sur les supports.
(4, 5, 6, 10, 15, 24, 30, 94, 96)

• Pratiquement, cette flèche correspond à la « flèche au milieu de la portée » ou, plus brièvement, « flèche à mi-portée » (mid-span sag).

V.a. flèche au point bas

Sag

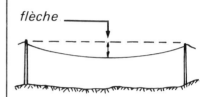

flèche

78. flèche au point bas

Distance verticale, dans une portée, entre la droite horizontale tangente au point d'accrochage du conducteur sur le support le plus bas et celle tangente au point bas de la chaînette. (4, 5, 24, 96)

• Il arrive parfois, bien que cela soit moins pratique, que l'on définisse la flèche au point bas par rapport au point d'accrochage du conducteur sur le support le plus élevé. Certains auteurs parlent alors de « creux de portée ».

L'expression « flèche au niveau » est à éviter.

V.a. flèche

Level sag

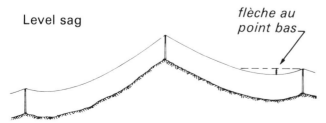

flèche au point bas

79. flèche finale

Flèche théorique d'un conducteur qui a subi le fluage maximal prévu. (5, 30, 65)

Final sag

80. flèche initiale

Flèche théorique d'un conducteur qui n'a pas encore subi de fluage. (5, 30, 65)

Initial sag

81. flèche maximale

Flèche la plus accentuée pouvant résulter de conditions très spécifiques comme une hypothèse de température, de givre ou de verglas maximale. (5, 30, 65)

Maximum sag of a conductor

82. paramètre
(de la chaînette)
paramètre
(du conducteur)

Rapport entre la tension horizontale (H) du conducteur ou du câble de garde à une température donnée et leur poids linéaire (p), en tenant compte des charges éventuelles de givre, de verglas ou de vent. (4, 5, 6, 24, 94)

• Le « paramètre de pose » (catenary constant at sagging), le « paramètre de réglage » (catenary constant for sag calculations) et le « paramètre de répartition » (catenary constant for spotting) sont des types spécifiques de paramètres de la chaînette.

Catenary constant

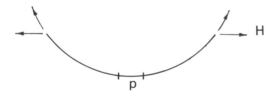

83. plan et profil

Dessin comportant un plan du tracé et de l'emprise, ainsi qu'un profil en long avec des indications portant sur la topographie et les limites de propriétés figurant au cadastre. (98)

Plan and profile

84. *point bas*

Point, imaginaire ou non, situé au plus bas du creux de la chaînette d'un conducteur.
(4, 5, 94)

• La droite tangente à ce point est toujours horizontale.

Low point

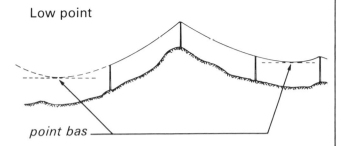

point bas

85. *portée*

1° Portion de ligne aérienne comprise entre deux supports consécutifs. (3, 4, 6, 24, 65, 94)

Span

2° Distance horizontale entre les points d'accrochage d'un conducteur sur deux supports consécutifs. (3, 5, 6, 10, 11, 24, 94)

• On trouve aussi l'expression « longueur de la portée » comme synonyme de « portée » dans ce deuxième sens.

Span length
Horizontal span

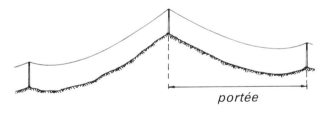

portée

86. portée de niveau

Portée dans laquelle les points d'accrochage du conducteur sur les supports consécutifs sont dans un même plan horizontal.
(6, 10, 24, 94)

Level span

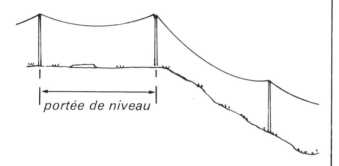

portée de niveau

87. portée dénivelée

Portée dans laquelle les points d'accrochage du conducteur sur les supports consécutifs ne sont pas dans un même plan horizontal.
(6, 10, 24, 94)

Sloping span
Inclined span

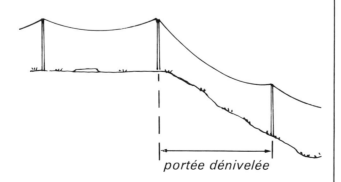

portée dénivelée

88. portée équivalente

Portée fictive dans laquelle les variations de la tension mécanique, dues aux variations de la charge et de la température, sont sensiblement égales à celles des portées réelles du canton. (5, 24, 94, 96)

● Il s'agit en fait d'une moyenne géométrique.

L'expression « portée déterminante » est à éviter.

Ruling span

89. portée poids

Distance horizontale entre les points bas, imaginaires ou non, d'un conducteur de part et d'autre d'un support. (24)

Weight span

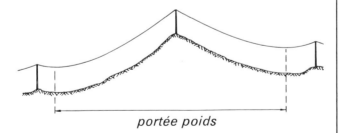

portée poids

90. portée sèche

Portée unique située entre deux supports d'ancrage ou entre un support d'ancrage et un support d'arrêt. (5, 94)

91. portée vent

Distance horizontale entre les milieux des deux portées adjacentes à un support. (24)

Wind span

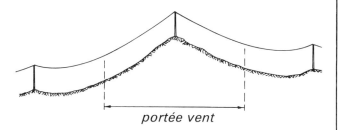

portée vent

92. profil dans le plan diagonal du support

Coupe du terrain sur un plan vertical contenant deux des pieds diagonalement opposés d'un support. (5, 24)

• L'expression « visée diagonale » est à éviter dans ce sens.

Diagonal leg profile
Diagonal cross-section of tower

93. profil en long
profil longitudinal

Coupe du terrain sur un plan vertical passant par l'axe de la ligne. (4, 5, 6, 22, 24, 94)

● L'emplacement des supports et les conducteurs apparaissent généralement sur le profil en long.

Longitudinal profile
Longitudinal cross-section

profil en long

94. profil parallèle
contre-profil à x mètres

Coupe du terrain sur un plan vertical situé à x mètres de l'axe de la ligne et parallèle à celui-ci. (6, 10, 24, 94)

Offset profile
Side slope at x metres

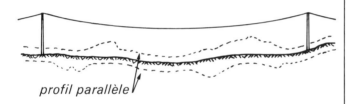

profil parallèle

95. sous-portée

Longueur de conducteur comprise entre deux entretoises successives. (6, 10)

Subspan

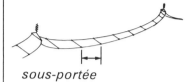

sous-portée

96. tension finale

Tension mécanique d'un conducteur qui est à sa flèche finale. (5, 30, 65)

Final tension

97. tension initiale

Tension mécanique d'un conducteur qui est à sa flèche initiale. (5, 30, 65)

Initial tension

98. tracé

Dessin d'une ligne ou encore configuration de celle-ci sur le terrain. (3, 4, 5, 10, 99, 100)

Line route

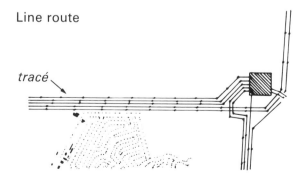

tracé

1.4 Phénomènes

99. bruit audible

Son perceptible à proximité d'une ligne aérienne causé par l'effet de couronne à la surface des conducteurs. (5, 107, 108)

Audible noise

100. champ électrique
champ électrostatique

Région de l'espace où il existe un état pouvant produire une force sur les particules de matière chargées positivement ou négativement. L'intensité de cette force est proportionnelle à la tension électrique de la ligne. (5, 15, 106, 107)

• L'expression « champ électrique » s'applique aussi bien à la force elle-même qu'à la région où elle s'exerce.

Electric field

101. champ électromagnétique

Champ physique déterminé par l'ensemble des quatre vecteurs qui caractérisent l'état d'un milieu matériel ou du vide au point de vue électrique et magnétique. (106)

• Ces quatre vecteurs sont : le champ électrique E, l'induction électrique D, le champ magnétique H et l'induction magnétique B.

Electromagnetic field

102. champ magnétique

Région de l'espace où il existe un état produit par un courant dans un conducteur, état qui peut induire une force sur un autre conducteur porteur de courant. (5, 15, 106, 107)

● L'expression « champ magnétique » s'applique aussi bien à la force elle-même qu'à la région où elle s'exerce.

Magnetic field

103. claquage

Processus, dû à un champ électrique élevé, qui transforme brusquement tout ou partie d'un milieu isolant en un milieu conducteur. (5, 15, 95, 106)

Breakdown

104. contournement

Arc électrique court-circuitant extérieurement un matériau isolant. (15, 79, 106)

Flashover

105. *courant admissible*

Courant maximal qui peut parcourir en permanence, dans des conditions données, un conducteur, sans que sa température dépasse la température d'exploitation. (5, 106)

(Continuous) current-carrying capacity
Ampacity

106. *courant de choc*

Courant qui traverse le corps d'un être humain ou d'un animal et ayant des caractéristiques susceptibles de provoquer des effets patho-physiologiques. (106)

Shock current

107. *courant de défaut*

Courant en un point donné d'un réseau résultant d'un défaut (généralement un court-circuit) survenu en ce point ou en un autre point du réseau. (5, 15, 106)

Fault current

108. courant de fuite

Courant qui, en l'absence de défaut, s'écoule à la terre ou à des éléments conducteurs à travers un matériau isolant. (5, 106)

Leakage current

109. échauffement

Différence entre la température d'un conducteur ou d'un accessoire et la température ambiante ; l'échauffement est le résultat de l'effet Joule, c'est-à-dire la production de chaleur due au passage d'un courant électrique. (4, 5, 10, 14, 53)

• Dans le cas d'un câble de garde, l'échauffement est fonction de la durée et de l'intensité du courant qui le parcourt au moment d'un coup de foudre ou d'un court-circuit.

Temperature rise

110. effet (de) couronne
effet corona

Effluve se produisant dans un champ électrique très élevé et non uniforme. (5, 15, 106)

• L'effluve présente une partie visible (de couleur violacée) au voisinage d'un conducteur ou d'une pièce métallique sous tension.

Corona
Corona effect

111. galop
danse

Oscillation de faible fréquence mais de grande amplitude, avec des ventres qui peuvent atteindre plusieurs mètres par rapport à la position moyenne du conducteur. Ce phénomène, dû à des vents d'intensité moyenne ou forte, apparaît généralement à la suite de la formation d'une légère couche dissymétrique de givre ou de verglas. (4, 5, 10, 15, 24)

V.a. vibration éolienne

Galloping
Dancing

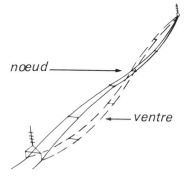

nœud

ventre

112. induction électrique
induction
électrostatique

Phénomène de couplage entre deux objets conducteurs dont un produit un champ électrique dans l'espace les séparant. (5, 15, 106, 108)

Electric flux density

113. induction magnétique

Phénomène de couplage entre deux objets conducteurs dont un produit un champ magnétique dans l'espace les séparant. (5, 106, 107, 108)

Magnetic flux density

114. oscillation de sous-portée

Type d'oscillation par effet de sillage causée par les effets de masque (interception du vent) créés par les sous-conducteurs au vent sur les sous-conducteurs sous le vent. Les sous-conducteurs oscillent en opposition de phase et l'instabilité se traduit par un mouvement de forme elliptique. (5, 10, 24, 61, 62, 77)

Subspan oscillation

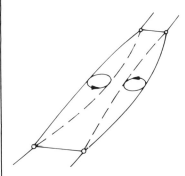

115. oscillation par effet de sillage

Oscillation se produisant dans un faisceau de conducteurs lorsque l'un des sous-conducteurs se trouve dans le sillage d'un autre. (5, 10, 61)

• On distingue trois types d'oscillations par effet de sillage : l'oscillation de sous-portée, le roulis et le serpentement.

Wake-induced oscillation

116. perforation

Destruction locale d'un matériau isolant (perte de la rigidité diélectrique), provoquée par un claquage. (5, 15, 79, 106)

Puncture

117. perturbation radioélectrique

Champs rayonnés ou tensions transmises par les conducteurs qui, en se superposant aux signaux émis par les récepteurs radio-électriques, brouillent la réception. (5, 15, 106)

● L'expression « perturbation radiopho-nique » est à éviter.

Radio interference

118. roulis

Type d'oscillation par effet de sillage accompagnant souvent le serpentement et entraînant la rotation d'un faisceau de conducteurs autour de son axe. (61, 62)

Rolling

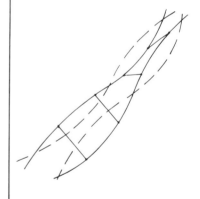

119. serpentement

Type d'oscillation par effet de sillage souvent accompagné de roulis et entraînant le dépla-cement latéral de tout un faisceau de conducteurs. (5, 61, 62)

Snaking

120. *surtension*

Tension dont la valeur dépasse la valeur maximale d'exploitation. (5, 15, 106)

Overvoltage

121. *tension composée (d'un réseau triphasé)*

Tension entre conducteurs de phase. (5, 19, 106)

● L'expression « tension phase-phase » s'emploie également pour désigner la tension composée.

Phase to phase voltage
Line to line voltage

122. *tension de contact*

Tension entre deux points avec lesquels un individu est susceptible d'entrer accidentellement en contact simultané. (1, 5, 106)

● Les expressions « tension de touche » et « potentiel de touche » sont à éviter.

Touch voltage
Contact voltage

123. tension de pas

Tension engendrée par un courant de terre entre deux points du sol espacés d'une distance conventionnelle correspondant à la longueur d'un pas moyen. (1, 5)

• L'expression « potentiel de pas » est à éviter.

Step voltage
Pace voltage

124. tension (électrique) différence de potentiel

Différence de niveau électrique entre deux points, par exemple un conducteur et la masse. (5, 15, 70)

• La tension s'exprime en volts.

L'expression « voltage » est à éviter.

Voltage

125. tension phase-terre

Tension entre un conducteur de phase et la terre. (5, 106)

Phase to ground voltage
Line to ground voltage

126. tension simple (d'un réseau triphasé)

Tension entre un conducteur de phase et le point neutre réel ou virtuel. (5, 19, 106)

• Les expressions « tension de neutre » et « tension parasite » sont à éviter.

Phase to neutral voltage
Line to neutral voltage

127. vibration de pluie

Vibration semblable à la vibration éolienne, causée par la présence d'eau à la surface d'un conducteur. Il en résulte une asymétrie du profil du conducteur, qui devient instable lorsqu'il est exposé à un vent d'intensité moyenne ou forte. (5, 61, 62)

Rain vibration

128. vibration éolienne

Vibration dans un plan vertical de faible amplitude (au maximum du diamètre d'un conducteur), mais de fréquence élevée, et qui se produit en présence de vents de faible intensité. (3, 10, 62)

V.a. galop

Eolian vibration
Wind vibration

129. vibration par effet (de) couronne

Vibration causée par les effluves de l'effet de couronne à la surface d'un conducteur. (5, 62)

Corona-induced vibration

2. Construction

Le comité a convenu de ne pas traiter les termes se rapportant aux opérations préalables à l'exécution des fouilles des fondations.

2.1 Généralités

130. aire de stockage

Étendue de terrain située à proximité de l'emplacement d'un support et réservée au déchargement du matériel de ligne à mettre en place. (5, 121)

Unloading area

131. alignement

Opération consistant à placer les éléments d'un support dans une position prédéterminée par rapport à l'horizontale et à la verticale. (5, 117, 119)

Alignment

132. bouteur

Engin de chantier constitué d'un tracteur à chenilles équipé d'une lame à l'avant, et servant à pousser des terres ou d'autres matériaux. (5, 139)

• En construction de lignes, le bouteur est souvent équipé de « chenilles larges » (large tracks), qui réduisent davantage la pression au sol.

Les expressions « bulldozer » et « bélier mécanique » sont à éviter.

Bulldozer

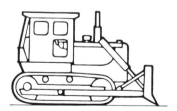

133. câble

Ensemble continu constitué de fils métalliques enroulés en hélice et utilisé comme accessoire d'appareil de traction ou de levage.
(5, 118, 133)

V.a. cordage

Wire rope

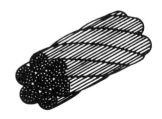

134. carrière

Lieu d'où l'on extrait les matériaux minéraux nécessaires à la construction. (5, 98)

• Aux termes de la loi, la « carrière » est un endroit d'où l'on extrait à ciel ouvert des substances minérales consolidées et la « sablière », un endroit d'où l'on extrait à ciel ouvert des substances minérales non consolidées, y compris du sable ou du gravier.

V.a. banc d'emprunt

Quarry
Pit

135. chargeuse

Engin de chantier constitué d'un tracteur équipé à l'avant de deux bras articulés portant un godet relevable, et servant à la reprise, au transport et au déchargement des matériaux en vrac. (5, 139)

• Sur un chantier de construction de lignes, on utilise habituellement des « chargeuses à chenilles » (crawler-type loader).

Loader
Front-end loader

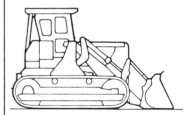

136. cordage
corde

Ensemble continu constitué de fibres végétales ou synthétiques torsadées ou tressées, utilisé comme accessoire d'appareil de traction ou de levage. (5, 93, 118, 133)

• Le terme « corde » s'emploie surtout dans les expressions qui en précisent l'utilisation, comme « corde de guidage », « corde de service ».

V.a. câble

Fibre rope

cordage torsadé

cordage tressé

137. dépôt

Parc de stockage d'Hydro-Québec où l'entrepreneur chargé de la construction d'une ligne aérienne s'approvisionne en matériel de ligne. (5, 116, 119)

Depot

138. élingage

Opération consistant à entourer un objet d'une élingue pour le tirer ou pour le hisser au moyen d'un appareil de levage. (5, 29)

Slinging

139. *élingue*

Cordage, câble ou chaîne se terminant habituellement par un ou deux dispositifs d'accrochage et servant à manutentionner une charge ou à ancrer un appareil ou un engin à un point fixe. (5, 29, 117, 118, 133, 140)

• Une « sangle » (flat-web sling) est une élingue plate.

Sling

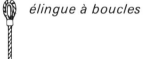

élingue à boucles

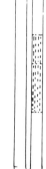

élingue sans fin

élingue à anneau et à crochet

140. épissure

1° Opération consistant à entrelacer des fils ou des torons, soit pour réunir deux cordages ou deux câbles, soit pour former une boucle à l'extrémité d'un cordage ou d'un câble. (95, 118)

2° Résultat de l'opération elle-même. (118)

V.a. joint

Splice

141. équipement de chantier

Ensemble des installations, engins, appareils et outils servant à l'exécution des travaux sur un chantier. (5, 14, 126, 152)

Site equipment

142. équipement (d'engin de chantier)

Accessoire destiné à permettre l'utilisation d'un engin de chantier à une fin particulière. (5, 131, 136, 145)

• On parle, par exemple, de l'« équipement benne preneuse » ou de l'« équipement vibro-fonceur » d'une grue, ou encore de l'« équipement de forage » ou de l'« équipement sonnette » d'une pelle hydraulique.

Attachment

143. matériau

Substance naturelle ou artificielle qui entre dans la construction d'une ligne. (5, 70, 95)

• L'acier, l'aluminium, le pin, la céramique, la terre ou le sable, par exemple, sont des matériaux.

Le terme « matériau » se retrouve aussi dans les expressions « matériau de déblai », « matériau d'emprunt » et « matériau de remblai ».

Le terme « matériel » ne doit pas être employé pour désigner un matériau.

Material

144. *matériel de ligne*

Ensemble des pièces qui, une fois mises en place, constituent une ligne. (5)

• Le matériel de ligne se subdivise en éléments de support, conducteurs, isolateurs, matériel de protection et accessoires. Les accessoires sont aussi appelés « petit matériel ».

Parmi le matériel de ligne, on peut mentionner les cornières, les traverses, les croisillons, les conducteurs en aluminium-acier, les chaînes d'isolateurs, les contrepoids, les entretoises, les pinces de suspension, les boulons, etc.

Line equipment

145. *montage d'appareils de levage*

Ensemble d'opérations consistant à assembler des mâts de levage et à mettre en place des palans, des câbles, des élingues sur les mâts, les grues et les supports de ligne. (5, 143, 144)

• On rencontre aussi le terme « gréage » pour désigner le montage d'appareils de levage. (142)

Rigging

146. moufle

Poulie faisant partie d'un système de poulies, par exemple d'un palan. (118)

● Il est recommandé d'employer systématiquement le terme « moufle » au féminin, même si la forme masculine se rencontre également dans les documents consultés.

V.a. poulie

Tackle block

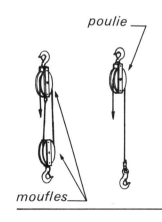

poulie

moufles

147. palan

Appareil de levage à crochet utilisé pour déplacer une charge ou exercer une traction sur une course limitée. (29)

● En construction de lignes, on utilise principalement le palan à corde, le palan à levier et le palan à courroie.

Block
Pulley
Hoist

palan à corde

palan à levier

palan à courroie

148. palan à corde

Palan constitué de deux moufles montées par paire, sur lesquelles passe une corde dont une extrémité est fixée à l'une des moufles, la traction s'exerçant sur l'autre extrémité. (29, 70, 115)

● Le terme « mouflage » peut également désigner le palan à corde.

Pour désigner les deux moufles d'un palan non munies de leur corde, on emploiera l'expression « paire de moufles ».

Block and tackle
Block and fall

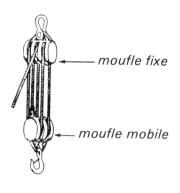

moufle fixe

moufle mobile

149. palan à courroie

Palan constitué de deux moufles sur lesquelles passe une courroie dont une extrémité est fixée à l'une des moufles, la traction s'exerçant sur le garant. (5)

Howe wire tool

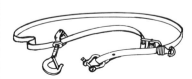

150. palan à levier

Palan manœuvré par un levier dont le mouvement de va-et-vient actionne une roue à rochet ou un autre mécanisme sur lequel passe une chaîne ou une courroie. (117, 118, 132)

Ratchet hoist
Lever-operated hoist
Come-along hoist

palan à levier à chaîne

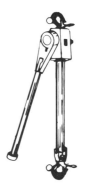

palan à levier à courroie

151. point de transbordement

Site aménagé par un entrepreneur en bordure d'un chemin carrossable pour décharger le matériel retiré d'un dépôt, et dans certains cas l'y stocker, jusqu'au moment de son transport à pied d'œuvre sur porteur tout terrain. (5)

• Le terme « sous-dépôt » est à éviter.

Transfer area

152. porteur tout terrain

Véhicule constitué d'un châssis et d'une cabine, utilisé en construction de lignes pour amener à pied d'œuvre le matériel de ligne, le personnel et divers engins (grue, foreuse, etc.), ces derniers parfois fixés en permanence. (5, 29, 141)

• Les porteurs tout terrain utilisés en construction de lignes sont des « porteurs à chenilles » (tracked carrier).

Le terme « chenillette » (off-road vehicle) ne doit être employé que pour désigner un tracteur à chenilles de petites dimensions. Quant au terme « chenillard », il est à éviter.

Le terme « transporteur », qui désigne une installation de manutention continue, par exemple un tapis roulant, assurant le transport de matériaux ou de charges sur un trajet déterminé, ne doit pas être employé pour désigner un porteur.

All-terrain transporter
Off-road carrier

porteur à chenilles

porteur à chenilles

chenillette

153. *poulie*

Appareil constitué d'un ou de plusieurs réas, d'un axe et de pièces de fixation, servant au passage d'un câble ou d'un cordage qui assure le déplacement d'une charge. (5, 117, 118)

● Une « poulie simple » est une poulie à un réa, une « poulie double », une poulie à deux réas, etc.

V.a. moufle

Block

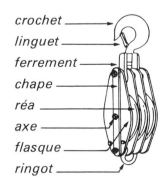

crochet ——————
linguet ——————
ferrement ——————
chape ——————
réa ——————
axe ——————
flasque ——————
ringot ——————

154. *poulie de renvoi*

Poulie servant à faire changer de direction un câble ou un cordage qui exerce une traction. (5, 22, 117)

Angle pulley

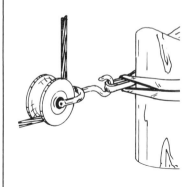

155. *poulie ouvrante poulie coupée*

Poulie dont l'un des éléments (flasque, crochet) se désolidarise de l'ensemble pour permettre l'engagement transversal d'un câble ou d'un cordage. (93, 117, 118)

● Le terme « galoche » est à déconseiller.

Snatch block
Construction block

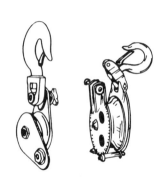

156. réa

Roue faisant partie d'une poulie et dont le pourtour est creusé pour recevoir un câble ou un cordage. (115, 117, 118)

Sheave
Pulley wheel

réa

157. tracteur

Engin de chantier à chenilles ou à pneus servant à remorquer, pousser, actionner divers matériels ou équipements. (5, 139)

● Sur un chantier de construction de lignes, on utilise habituellement des « tracteurs à chenilles » (crawler tractor), auxquels on ajoute des accessoires comme une lame, un treuil, etc.

Tractor
Prime mover

158. treuil

Appareil de levage et de traction comportant un tambour horizontal sur lequel est fixée l'extrémité d'un câble qui s'y enroule et s'y emmagasine. (115, 118, 132)

Winch

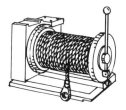

2.2 Fondations et ancrages

159. adjuvant

Produit ajouté au béton ou au coulis, avant ou pendant le malaxage, ou étendu à la surface d'un béton non durci afin d'en modifier une propriété. (97, 145)

- Les principaux adjuvants sont : les agents expansifs, les plastifiants, les entraîneurs d'air, les accélérateurs et les retardateurs de prise et les imperméabilisants.

On ne doit pas utiliser le terme « additif » (additive), qui désigne un produit ajouté au ciment en cours de fabrication, pour désigner un adjuvant.

Admixture

160. agent expansif

Adjuvant qui provoque des gonflements et permet de compenser les effets du retrait ou d'exercer des efforts d'expansion contrôlés, par exemple pendant le colmatage des fissures et la confection des ancrages injectés. (5, 97)

Expansion agent

161. aiguille vibrante

Appareil en forme d'aiguille que l'on plonge verticalement dans la masse du béton et dont les vibrations en provoquent le tassement. (29, 97, 145)

• L'expression « vibrateur à béton » (concrete vibrator), lorsqu'elle est utilisée pour désigner l'aiguille vibrante, est un terme moins précis.

Vibrating needle

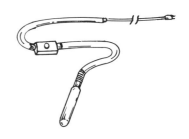

162. arasement
recépage

Opération consistant à couper la partie supérieure d'un pieu, d'un tube ou d'une palplanche pour les mettre à un niveau prédéterminé et, parfois, éliminer les détériorations survenues au cours du battage. (27, 29, 70, 150, 153, 154)

Cutting-off
Striking-off

163. banc d'essai d'ancrage

Installation composée d'un vérin ou d'un palan, d'une ou de plusieurs charges et d'un système de mesure, utilisée pour les essais de mise en charge d'ancrage. (5, 130, 150)

Anchor test bench

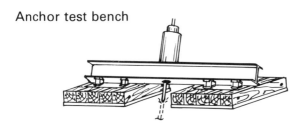

164. barre à mine

Outil formé d'une tige d'acier pointue à une extrémité et plate à l'autre, utilisé pour creuser des fouilles ou pour servir de levier. (11, 18, 67, 95, 116)

V.a. pelle-curette

Digging bar

165. battage

Opération qui consiste à enfoncer dans le sol un pieu, un tube ou une palplanche en utilisant les chocs répétés d'un mouton. (27, 95, 135, 150)

V.a. fonçage

Driving

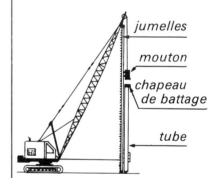

jumelles

mouton

chapeau de battage

tube

166. béton

Matériau de construction obtenu grâce à un mélange homogène de granulats, de sable, de ciment et d'eau. (97, 146)

V.a. coulis

Concrete

167. bétonnage

Opération qui consiste à mettre en place du béton pour la confection des fondations d'une ligne aérienne et de ses ancrages. (27, 95, 129)

● On emploie les expressions « bétonnage par temps chaud » et « bétonnage par temps froid » pour désigner les procédés utilisés lorsque les températures sont extrêmes.

V.a. injection

Concreting

168. bétonnière

Appareil mécanique servant à mélanger les constituants du béton dans une cuve tournante à axe incliné, équipée de pales fixes. (14, 27, 134)

● L'opération qui consiste à mélanger les constituants du béton s'appelle le « malaxage » (mixing).

Concrete mixer
Gravity-type mixer

169. bétonnière portée camion-malaxeur

Camion équipé d'une bétonnière à axe incliné pour transporter du béton prêt à l'emploi depuis la centrale jusqu'au lieu d'utilisation. (14, 95, 97)

Truck mixer

bétonnière

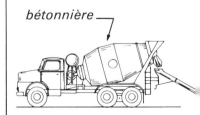

170. béton prêt à l'emploi

Béton préparé dans une centrale à béton et livré sur le lieu d'utilisation avant le début de la prise, et ne demandant aucun autre traitement avant d'être mis en place. (5, 27, 97, 129)

V.a. bétonnière portée

• L'expression « béton prémélangé » est à éviter.

Ready-mixed concrete

171. blindage

Dispositif de soutien mis en place sur les parois d'une fouille et capable de reprendre la poussée des terres afin d'éviter les éboulements et les déplacements de terrain. (5, 27, 95, 150, 153, 154)

• Le terme « palplanche » (interlocking sheet piling) ne doit pas être employé pour désigner des éléments qui ne sont pas assemblés par emboîtement.

Le terme « palplanchage » est à éviter pour désigner un blindage, y compris un blindage de palplanches.

Le terme « boisage » (timbering) désigne un blindage en bois.

V.a. caisson

Sheeting

boisage

palplanche

172. caisson

Ouvrage en forme de boîte ou de cylindre sans fond, enfoncé dans le sol dans le but de retenir les parois d'un terrain et de permettre l'extraction des déblais contenus dans le caisson. (5, 150, 153)

V.a. blindage

Caisson

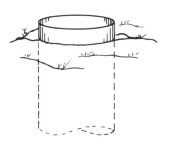

173. centrale mobile

Installation de fabrication de béton ou de coulis, montée sur porteur et possédant les équipements nécessaires au stockage, au dosage et au malaxage des constituants du béton ou du coulis. (5, 29, 97, 136)

• La centrale où se fabrique le béton s'appelle « centrale à béton » (concrete mixing plant), et celle où se fabrique le coulis, « centrale à coulis » (grout mixing plant). Les termes « usine de béton » et « usine de coulis » sont à déconseiller.

Mobile plant

174. chapeau de battage
casque de battage

Pièce spéciale qu'on appuie sur le sommet d'un pieu, d'un tube ou d'une palplanche pour éviter que les chocs du mouton ne les abîment au cours du battage. (27, 95, 135, 136)

Pile cap

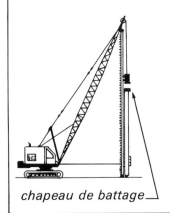

chapeau de battage

175. ciment

Constituant de base du béton et du coulis, composé d'un mélange de calcaire et d'argile cuit à haute température puis broyé après addition de gypse. (5, 117, 146)

• Il existe des ciments qui réduisent le temps de durcissement des bétons et des coulis, qui sont appelés alors « bétons à durcissement rapide » (quick-hardening concrete) et « coulis à durcissement rapide » (quick-hardening grout).

Cement

176. coffrage

Assemblage d'éléments en bois, métal ou autre matière destiné à servir de moule au béton d'une fondation ou d'un ancrage et à le maintenir en place jusqu'à sa prise. (95, 97)

• Le terme « forme » est à éviter.

Formwork

coffrage ———

177. compactage

Opération consistant à augmenter par vibration, percussion ou roulage d'engins la densité du sol entourant un poteau ou les fondations d'un pylône. (5, 27, 95, 146, 150)

• Le compactage par percussion s'appelle « damage » ou « pilonnage » (ramming).

Le terme « compaction » est à éviter pour désigner le compactage.

V.a. pilonneuse, plaque vibrante, rouleau vibrant

Compaction
Compacting

178. compresseur

Machine servant à produire l'air comprimé nécessaire au fonctionnement de divers appareils, notamment des marteaux perforateurs et des foreuses. (95, 136)

Compressor

179. coulis

Mélange de consistance assez liquide constitué principalement de ciment et d'eau et servant surtout à la confection d'ancrages injectés. (97, 130)

V.a. béton

Grout

180. culottage

Opération consistant à introduire l'extrémité d'un hauban dans une pièce appelée culot et à y verser un alliage de zinc qui solidarise l'ensemble. (5, 9, 29, 136)

• Le terme « plaque d'accouplement » est à éviter pour désigner le culot.

Socketing

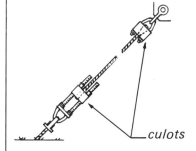

culots

181. cure

Traitement consistant à maintenir le béton dans l'état d'humidité nécessaire à un durcissement satisfaisant. (27, 29, 97, 154)

Curing

182. curette

Outil constitué d'un cylindre creux muni d'un mécanisme à effet de succion ou de pression, qui sert à l'injection des boues de forage et à l'éjection des déblais. (35, 135, 145)

Bailer

183. déblai

1° Matériau extrait du sol lors d'une fouille ou d'un forage. (95, 131, 146, 152)

• Ce terme s'emploie souvent au pluriel.

Le forage produit des débris qui sont désignés de préférence par l'expression « déblais de forage ».

Excavated material

2° Opération de déblaiement elle-même. (95, 131)

V.a. remblai

Excavation

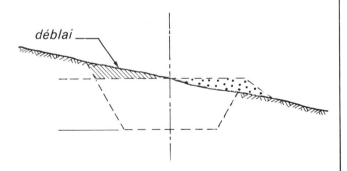

déblai

184. dosage

Opération qui consiste à mesurer les quantités requises des différents constituants utilisés pour produire un béton ou un coulis. (97, 146)

Batching

185. dynamitage minage

Opération consistant à disloquer la roche au moyen d'explosifs. (18, 95, 131, 152, 154)

• Dans le « tir à la mèche », l'explosion est déclenchée au moyen d'une « mèche de sûreté » qui met à feu un détonateur. L'expression « tir non électrique » est à éviter pour désigner le tir à la mèche.

Blasting
Dynamiting

186. emprunt

Excavation pratiquée au voisinage d'un support ou dans une carrière pour s'y procurer des matériaux de remblai. (5, 27, 98)

• À Hydro-Québec, on emploie l'expression « banc d'emprunt » pour désigner un emplacement susceptible de fournir des matériaux d'emprunt.

V.a. matériau

Borrow pit

187. éprouvette

Échantillon de béton ou de coulis durci soumis à des essais. (5, 96, 97)

• L'éprouvette utilisée est un cylindre dans le cas du béton et un cube dans le cas du coulis.

Test specimen
Test sample

188. épuisement
assèchement

Opération consistant à vider une fouille des infiltrations d'eau par pompage ou par drainage. (14, 27, 150)

Dewatering

189. essai d'affaissement
essai au cône d'Abrams

Détermination sur le chantier de l'ouvrabilité d'un béton par la mesure de l'affaissement d'un volume déterminé de ce béton sous l'influence de son poids. (95, 97)

Slump test

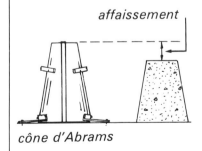

affaissement

cône d'Abrams

190. essai de mise en charge d'ancrage

Opération ayant pour objet de déterminer la résistance d'un ancrage en lui appliquant par paliers de charges un effort de traction.
(5, 130, 150, 153)

• On effectue quelquefois des « essais de mise en charge de pieu d'ancrage ».

L'expression « essai d'arrachement » (de pieu ou d'ancrage) est à éviter.

Anchor loading test
Anchor pulling test

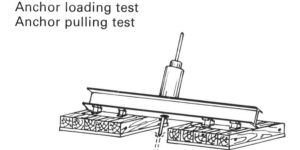

essai de mise en charge d'ancrage par vérin

191. fonçage

Opération destinée à mettre en place dans le sol un pieu, un tube, un caisson ou un pieu-caisson en l'enfonçant directement ou en l'introduisant dans un trou déjà foré.
(135, 145, 155)

• Le fonçage effectué par vibration s'appelle « vibro-fonçage ».

V.a. battage

Sinking
Driving

192. forage

1° Opération effectuée pour perforer le terrain en vue de la mise en place d'un pieu, d'un ancrage ou d'un pieu-caisson. (29, 134, 145)

Drilling

2° Perforation résultant de l'opération elle-même. (14, 70)

Drill hole
Borehole

193. forage à l'air

Méthode de forage dans laquelle on utilise de l'air sous pression pour assurer la remontée des déblais. (5, 95)

Air drilling

194. forage à l'eau

Méthode de forage dans laquelle on injecte de l'eau au fond d'un trou afin de faciliter le forage et d'assurer la remontée des déblais. (5, 95, 135)

Wet drilling

195. forage mixte

Méthode faisant appel à l'action combinée du forage par percussion et du forage par rotation pour perforer un terrain. (5, 134)

Combined drilling

196. forage par percussion

Méthode de forage consistant à désagréger le terrain en lui imprimant des chocs successifs. (95, 136, 149)

V.a. foret, trépan

Percussion drilling
Percussive drilling

197. forage par rotation

Méthode de forage consistant à découper le terrain à l'aide d'un outil tournant autour d'un axe. (136, 145)

V.a. foret, tarière

Rotary drilling

198. *foret*

Outil tranchant en métal traité qui, fixé à une tige, sert à perforer le terrain et à injecter l'air comprimé ou l'eau destinés à l'expulsion des déblais de forage. (95, 130)

Bit
Drill bit
Drilling bit

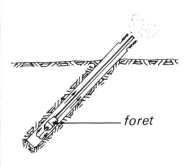

foret

199. *foreuse*

Appareil sur châssis, comportant une tige et un foret et servant à forer par rotation les trous d'ancrage ou à enfoncer par percussion le tubage par où passent les outils ainsi que les déblais de forage. (5, 6, 95)

V.a. grue-tarière

Drilling machine
Driller

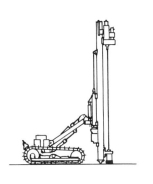

200. *fouille*
excavation

1° Cavité pratiquée en creusant le sol afin de dégager l'espace destiné à recevoir un poteau, une fondation ou certains types d'ancrages. (5, 27, 70, 95, 110, 152, 154)

Excavation
Foundation pit

2° Action de creuser le sol pour y mettre un support ou un élément de support. (27, 95)

Excavation

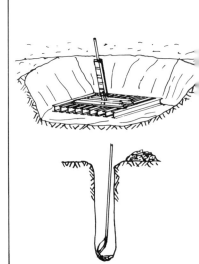

201. *gâchée*

Quantité de béton obtenue en une seule opération de malaxage. (97)

• L'expression « eau de gâchage » (mixing water) désigne l'eau entrant dans la préparation d'une gâchée.

Batch

202. *goulotte*

Conduite ouverte et inclinable, destinée à recevoir dans sa partie supérieure le béton vidé par la bétonnière et à le déverser par gravité dans les coffrages. (97, 136)

• Il faut éviter d'employer le terme « dalle » pour désigner une goulotte. En construction, ce terme désigne un récipient destiné à recevoir les eaux de pluie et à les déverser dans les tuyaux de descente.

Chute
Spout
Concrete chute

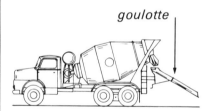

goulotte

203. granulat

Matériau naturel ou artificiel formé de particules de dimensions déterminées employé dans la fabrication du béton.
(27, 95, 97)

• Les principaux granulats sont : les sables, les graviers, les pierres, les schistes expansés, les vermiculites exfoliées.

Le terme « agrégat », qui signifie réunion de substances diverses formant un tout non homogène, ne doit pas être employé pour désigner les granulats.

Aggregate

204. grue-tarière

V. n° 246

205. injection

Technique de bétonnage consistant à mettre un coulis en place par gravité ou sous pression, au moyen d'un tuyau flexible.
(5, 130, 150)

• L'injection de coulis sert principalement, en construction de lignes, à la confection des ancrages injectés.

V.a. bétonnage

Grouting

206. joint

V. n° 247

207. lissage

Opération consistant à rendre unie la surface du béton. (27, 97)

Smoothing

208. marteau perforateur

Appareil à air comprimé imprimant des mouvements de rotation ou de percussion à divers outils. (27, 95, 149)

Hammer drill
Machine drill
Pneumatic drill

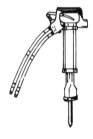

209. mât de battage

Dispositif de guidage relié à la flèche d'une grue utilisée pour le battage d'un pieu, d'un tube ou d'une palplanche. (145, 159)

● La « sonnette », qui sert également au battage, est un appareil indépendant comportant une charpente.

Pile driver

grue
mât de battage

sonnette

210. mise en place

Ensemble des opérations qui consistent à mettre le béton en place à l'endroit où il durcira, et à lui donner sa forme définitive en ayant recours à diverses actions : vibration, cure, lissage, etc. (97, 136)

● La « mise en œuvre » englobe la fabrication, le transport et la mise en place du béton.

Placing

211. mise en tension (mécanique)

Opération consistant à donner à un hauban la tension mécanique désirée. (4, 5, 29, 119)

● Les expressions « tensionnage » et « tensionnement » sont également utilisées.

V.a. réglage

Tensioning

212. mortier en sac

Mélange préemballé de sable et de ciment auquel l'eau et, parfois, des adjuvants sont ajoutés sur le lieu d'utilisation, au moment du malaxage. (5)

● Les expressions « ciment en sac », « sable en sac » et « gravier en sac » s'emploient pour désigner les constituants du béton livrés dans le même type d'emballage.

Prepacked dry concrete

213. mouton

Masse métallique suspendue à une flèche de grue ou à une sonnette et servant à battre un pieu, un tube ou une palplanche. (27, 135, 136, 145, 155)

• Le mouton peut être désigné par l'expression moins technique « marteau de battage ».

V.a. battage

Hammer
Ram
Monkey
Tup

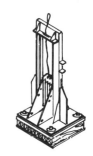

214. nid de cailloux
nid de graviers

Défaut local du béton caractérisé par une accumulation visible de gros granulats insuffisamment enrobés. (97, 154)

• Le terme « nid d'abeilles » est à éviter.

Honeycombing

215. pelle-curette

Outil formé d'un long manche sur lequel s'ajuste une palette métallique inclinée, utilisé pour retirer les déblais d'une fouille étroite et profonde. (5, 29, 67, 116)

V.a. barre à mine

Spoon

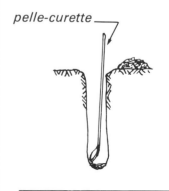

pelle-curette

216. pelle hydraulique

Engin d'excavation généralement sur chenilles, équipé d'un godet ou d'une benne preneuse commandés hydrauliquement et utilisés pour creuser les fouilles. (5, 70, 95, 136, 145, 146, 152)

● Les termes « excavateur » et « excavatrice », qui désignent les engins d'excavation équipés d'une chaîne à godets ou d'une roue à godet, ne doivent pas être utilisés pour désigner une pelle.

Excavator

godet rétro

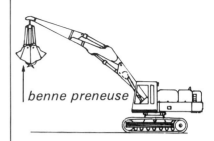

benne preneuse

217. pilonneuse

Appareil de compactage guidé à la main et agissant par chocs répétés obtenus au moyen d'une plaque de petites dimensions posée sur le sol. (5, 146, 155, 156)

Soil tamper
Tamper

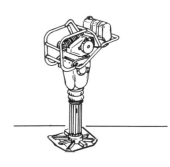

218. plaque vibrante

Appareil de compactage agissant par vibration d'une plaque posée sur le sol. (146, 156)

Vibrating plate
Vibratory plate compactor

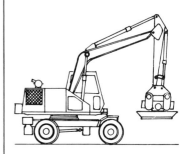

219. refus

Arrêt de l'enfoncement d'un tube ou d'un pieu sous l'effet des coups d'un outil de battage. (27, 29, 45, 135)

● Le terme s'utilise habituellement dans les expressions « enfoncer à refus » ou « battre à refus ».

Refusal

220. régalage

Opération consistant à étendre un matériau sur une faible épaisseur pour redresser le niveau d'un terrain. (5, 27, 146)

Leveling

221. réglage pied par pied

Méthode consistant à donner aux embases d'un pylône un écartement, une inclinaison et un niveau prédéterminés en procédant au positionnement de chaque embase, en prévision de l'assemblage du pylône sur les fondations. (4, 5, 110)

Individual positioning (of footings)

222. remblai

1° Matériau comblant une fouille ou formant talus autour d'un support. (5, 29, 70, 150, 152, 154)

● Le terme « remblai » est souvent employé au pluriel.

Fill
Backfill

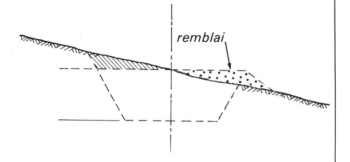

2° Opération consistant à faire un remblai. (5, 29, 70)

● Le terme « remblayage » désigne également l'opération consistant à faire un remblai.

V.a. déblai

Filling

223. rouleau vibrant

Appareil de compactage comportant un ou plusieurs cylindres vibrants. (139, 155)

• Les rouleaux vibrants utilisés en construction de lignes sont guidés à la main.

Vibrating roller
Vibratory roller

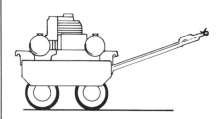

224. sabot

Garniture de métal que l'on fixe à l'extrémité inférieure d'un tube ou d'un pieu avant de les enfoncer dans le sol, afin d'empêcher leur déformation sous l'effet du battage. (27, 29, 130, 135, 145)

Shoe
Pile shoe

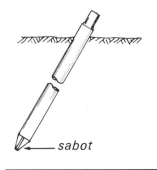

sabot

225. tarière

Outil en forme de vis conique, actionné en rotation pour creuser dans les terrains meubles. (145, 155)

V.a. grue-tarière

Auger

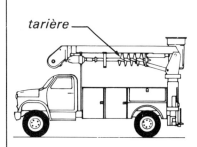

tarière

226. tige (de forage)

Élément d'acier en forme de cylindre creux
supportant un trépan ou un foret et servant
à perforer des terrains et à faire passer l'eau
ou l'air destinés à expulser des déblais de
forage. (95, 130, 134, 145)

• La réunion de deux ou plusieurs tiges forme
un « train de tiges » (drill pipe string).

Hollow drill rod

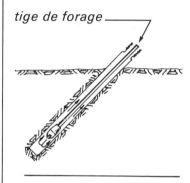

tige de forage

227. trépan

Outil lourd fixé à une tige ou à un câble et
présentant la forme d'une masse cylindrique
souvent munie de ciseaux radiaux, et forant
par impact. (27, 95, 135, 149, 155)

Bit
Drill bit
Drilling bit

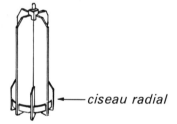

ciseau radial

228. tubage

1° Opération qui consiste à mettre en place un ou plusieurs tubes constituant un revêtement provisoire ou définitif dans un forage et permettant le passage d'outils, de tiges, de sondes, etc. (27, 95, 149, 155)

2° Ensemble des tubes, le plus souvent métalliques, mis en place dans un forage. (5, 150)

Casing

V.a. battage

229. tube plongeur

Conduit circulaire, muni d'une trémie à sa partie supérieure et d'un dispositif à valve à sa partie inférieure, utilisé pour la mise en place du béton sous l'eau ou lorsque la hauteur de chute est importante. (5, 135, 145, 150)

● Le terme « trémie » est à déconseiller pour désigner le tube plongeur.

Tremie

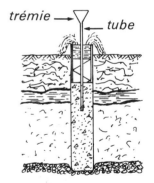

trémie → ← tube

2.3 Mise en place des supports

230. aire d'assemblage (au sol)

Étendue de terrain réservée à l'assemblage d'un support ou des éléments d'un support destinés à être mis en place par levage. (4, 5, 110, 119)

Assembly area

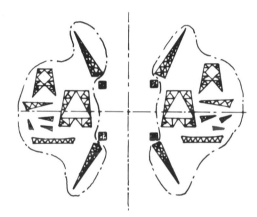

231. assemblage

Opération consistant à lier entre elles les différentes pièces destinées à former un ensemble. (5, 29, 70, 117)

Assembly

232. boulonnage

Opération consistant à assembler les éléments d'un support métallique au moyen de boulons. (27, 119)

Bolting

233. câble de levage

Câble par lequel s'exerce la traction nécessaire pour mettre en place un support entier ou un élément de support. (4, 5)

V.a. corde de guidage

Hoisting line
Hoisting cable

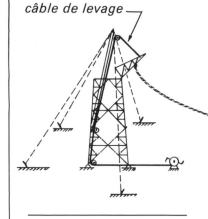

câble de levage

234. corde de guidage

Cordage servant à retenir et à positionner un support ou un élément de support en cours de levage ou d'assemblage. (5, 10)

V.a. câble de levage

Tag line

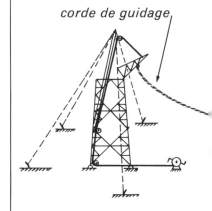

corde de guidage

235. dynamomètre

Appareil utilisé pour mesurer directement
ou indirectement la tension mécanique d'un
conducteur ou d'un hauban ou les variations
de cette tension. (5, 10, 67, 93)

Dynamometer
Tensiometer
Tension indicator

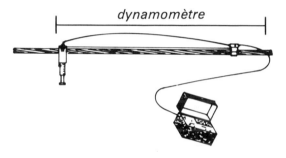

dynamomètre

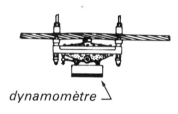

dynamomètre

236. flèche

Partie d'une grue qui s'élève sur la base,
ou sur la tour dans le cas d'une grue à tour,
et supporte le câble de levage de la grue.
(5, 29)

Boom

237. flèche (à ou en) treillis
flèche classique

Flèche de longueur fixe constituée de membrures en tubes ou en cornières.
(118, 122, 123)

• L'expression « flèche conventionnelle » est à déconseiller. L'expression « grue classique » (conventional crane) est utilisée pour désigner la « grue à flèche treillis ».

Conventional boom

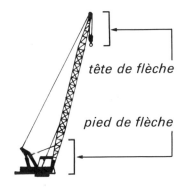

tête de flèche

pied de flèche

238. flèche télescopique

Flèche constituée d'éléments coulissant les uns dans les autres et faisant varier la longueur de la flèche par extension et rétraction. (118, 122, 125)

• L'expression « grue télescopique » (telescopic crane) est utilisée pour désigner la « grue à flèche télescopique ».

Telescopic boom

239. fléchette

Flèche additionnelle articulée, montée en tête de flèche. (5, 122)

Jib

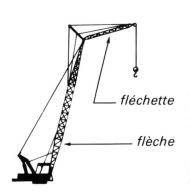

fléchette

flèche

240. fourche à poteau

Outil, constitué d'une pièce métallique de forme semi-circulaire fixée à un manche en bois, servant à soulever un poteau en bois mis en place manuellement. (5, 11, 18, 67)

V.a. perche à poteau, tourne-bille

Mule

241. grue

Engin servant à lever des charges et composé essentiellement d'une base, d'une flèche et d'un câble de levage muni d'un accessoire d'accrochage ou de préhension. (29, 118, 122)

Crane

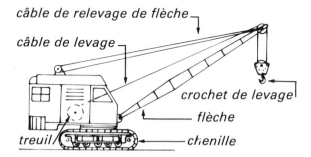

câble de relevage de flèche
câble de levage
crochet de levage
flèche
treuil
chenille

242. grue à tour

Grue sur laquelle le pied de flèche est fixé à la partie supérieure d'un mât vertical. (122)

Tower crane

grue à tour sur porteur tout terrain

243. grue automotrice

Grue mobile à un seul poste de commande, munie d'un châssis qui assure son déplacement sur le chantier. (5, 118, 122)

Self-propelled crane

grue sur pneus

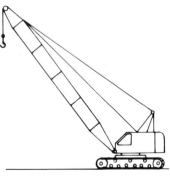

grue sur chenilles

244. grue mobile

Grue susceptible de se déplacer ou d'être déplacée. (5, 118, 122)

● Il existe deux catégories de grues mobiles : les grues automotrices et les grues sur porteur.

Mobile crane

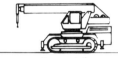

grue automotrice

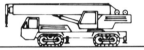

grue sur porteur

245. grue sur porteur
grue sur camion

Grue mobile fixée sur un véhicule porteur autonome qui assure son déplacement et possède une cabine distincte de celle de la grue. (118, 122, 125)

Truck crane

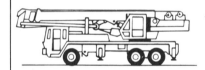

246. grue-tarière

Grue hydraulique sur porteur, équipée d'une tarière servant à forer des fouilles ou à enfoncer des ancrages à vis.
(5, 67, 118, 126, 137)

● Cet engin est également désigné par l'expression « foreuse-grue-tarière ».

La grue-tarière peut être équipée d'un accessoire appelé « pince à poteau » (pole claws) qui permet de saisir un poteau en cours d'implantation pour le maintenir en position verticale.

V.a. foreuse, engin de positionnement

Auger crane

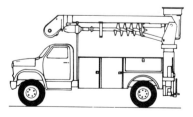

247. joint

Liaison établie entre deux éléments métalliques d'un support et qui assure la transmission des efforts. (4, 5, 95, 117)

● Le joint réalisé par boulonnage, comme dans le cas des joints de membrure, est un « joint boulonné » (bolted connection).
Le joint réalisé par un cordon de soudure, comme dans le cas des joints de pieu, est un « joint soudé » (welded connection).

L'expression « joint d'épissure » est à éviter.

V.a. épissure

Joint
Connection

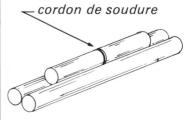

joint de pieu

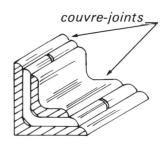

joint de membrure

248. joint bout à bout

Type de joint où deux éléments d'un support sont réunis sans chevauchement. (4, 5)

● Le « joint par couvre-joint » est un joint bout à bout boulonné.

Butt joint

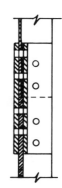

joint par couvre-joint

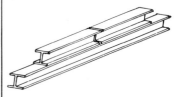

joint soudé

249. *joint par emboîtement*

Type de joint où deux éléments d'un support de même forme et de section légèrement différente s'insèrent l'un dans l'autre. (5)

Inserted joint

250. *joint par recouvrement*

Type de joint où deux éléments d'un support se superposent l'un sur l'autre. (4, 5)

Lap joint

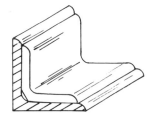

251. *levage*
montage

Opération consistant à mettre un support en place dans une fouille ou sur ses fondations. (4, 5, 6, 10, 67, 110, 112, 118)

• Le terme « levage » s'applique plus particulièrement aux poteaux et aux pylônes assemblés entièrement au sol, et le terme « montage », aux pylônes dont l'assemblage n'est fait qu'en partie au sol.

Le terme « érection » est à éviter dans ce sens.

Erection

252. levage à la grue montage à la grue

Méthode de levage consistant à mettre un support en place en le soulevant tout entier ou par ensembles successifs à l'aide d'une grue. (4, 5, 110, 121)

Crane erection
Erection by crane

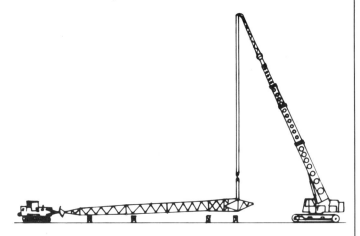

253. levage à la perche

Méthode de levage manuel utilisée pour la mise en place des poteaux en bois et nécessitant l'emploi de plusieurs outils, principalement de perches. (5, 11, 18, 67)

Piking

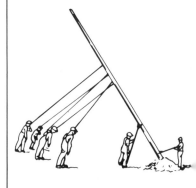

254. levage à l'avancement montage à l'avancement

Méthode de levage consistant à mettre un support en place progressivement en fixant chaque élément sur le dernier élément mis en place. (4, 5, 6, 10, 19, 110, 121)

● Le levage à l'avancement se fait de nos jours par ensembles préalablement assemblés, à l'aide d'un mât de levage ou d'une grue.

V.a. levage par ensembles

Built-up method of erection
Erection with pre-assembled components

255. levage à l'hélicoptère montage à l'hélicoptère

Méthode de levage consistant à mettre un support en place en le soulevant à l'aide d'un hélicoptère, soit en entier, soit en plusieurs parties. (5, 67)

Helicopter erection
Erection by helicopter

256. levage au mât
montage au mât

Méthode de levage consistant à mettre un
pylône en place à l'aide d'un mât de levage,
soit en entier en fixant le mât au sol, soit
progressivement en fixant le mât au sol puis
à diverses hauteurs dans le pylône même,
à mesure que progresse l'assemblage.
(5, 110, 121)

Gin-pole method of erection
Erection by gin-pole

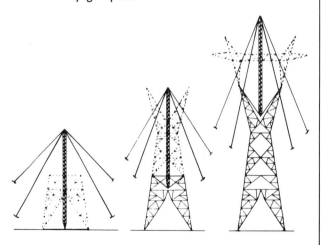

257. levage mixte
montage mixte

Combinaison de deux méthodes de levage,
le levage à la grue ou par rotation près du sol,
le levage au mât ou à l'hélicoptère par la suite.
(5, 110)

Combined method of erection

258. *levage par ensembles*
montage par ensembles

Procédé de levage à l'avancement consistant à mettre en place un support à treillis par levages successifs d'ensembles formés par assemblage au sol des pièces élémentaires.
(5, 117, 121)

● Un tronçon, un panneau, une console, etc. peuvent constituer un ensemble. Il est donc plus juste de parler de « levage par ensembles » que de « levage par panneaux », expression qu'on retrouve également.

V.a. levage à l'avancement

Section method of erection
Sectional erection

259. *levage par rotation*
montage par rotation
levage par pivotement
montage par
pivotement

Méthode de levage consistant à mettre en place un pylône entièrement assemblé au sol en le faisant tourner autour d'un axe.
(5, 6, 10, 11, 67, 110)

Up-ending method of erection
Erection by up-ending

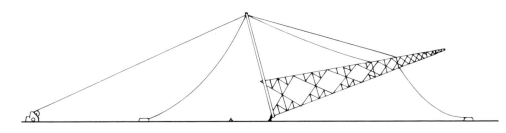

260. mât de levage

Colonne formée de tubes d'aluminium soudés, appuyée à la base et maintenue au sommet par quatre haubans, servant à la mise en place d'un support. (6, 110, 117, 119, 121)

Gin-pole

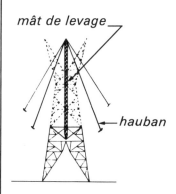

mât de levage

hauban

261. perche à poteau

Outil terminé par une pointe métallique, utilisé pour soulever un poteau en bois mis en place manuellement. (5, 67)

V.a. fourche à poteau, tourne-bille

Pike pole

262. pince à porter les poteaux

Outil constitué d'un manche en bois au milieu duquel est fixée une pince métallique qui permet de saisir un poteau pour le déplacer manuellement. (5, 138)

Timber carrier

263. tourne-bille

Outil, constitué d'un manche en bois au bout duquel est fixé un crochet métallique, utilisé pour maintenir près de la fouille l'extrémité inférieure d'un poteau en bois mis en place manuellement. (5, 67, 70)

V.a. fourche à poteau, perche à poteau

Cant hook
Peavey

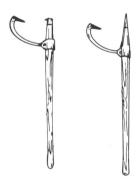

2.4 Pose des conducteurs

On trouvera dans le fascicule 4 les termes qui désignent les outils de mise à la terre utilisés pour la pose des conducteurs.

264. cabestan

Appareil de traction actionné par un moteur et muni d'un tambour exerçant une traction par friction sur un câble ou un cordage. (5, 22)

V.a. poupée

Capstan hoist

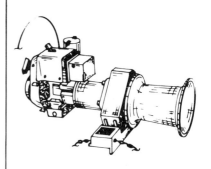

265. câblette de déroulage câblette de tirage

Câble ou cordage auquel on applique un effort d'une intensité suffisante pour entraîner un ou plusieurs conducteurs auxquels la câblette est raccordée. (4, 6, 10, 19, 111)

• L'expression « câble de tirage » est à éviter.

V.a. déroulage sous tension, déroulage sous faible tension

Pulling line
Bull line
Pulling rope

266. câblette guide

Câble ou cordage de petit diamètre utilisé
pour entraîner la câblette de déroulage entre
le poste tracteur et le poste dérouleur en la
faisant passer directement par les poulies de
déroulage. (5, 111, 121)

● Dans le cas du déroulage par hélicoptère
ou par bateau, la câblette guide est la
première d'une suite de câblettes appelées
« précâblettes ».

Le terme « câble pilote » est à éviter.

Pilot line
Lead line

267. chaussette (de tirage)
bas (de tirage)

Assemblage de méplats tressés en fils d'acier,
destiné à assembler par serrage un conducteur à une câblette de déroulage ou les extré-
mités de deux conducteurs. (4, 5, 6, 11, 19, 67,
110, 111)

● Des « brides de serrage » (clamps) posées
à l'extrémité ouverte de la chaussette permettent d'amorcer le serrage de façon
sûre.

Les termes « griffe » et « suce de tirage »
sont à éviter.

Stocking-type pulling grip
Kellem grip

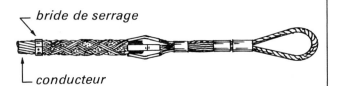

bride de serrage

conducteur

268. chevalet de déroulage

Support, muni d'un frein, destiné à recevoir sur un axe un touret de câble ou de cordage à dérouler. (5, 112, 157, 158)

Let-off reel stand

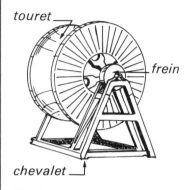

touret

frein

chevalet

---

269. cisaille (coupe-câble)

Outil en forme de ciseaux utilisé pour couper un conducteur ou un câble de garde. (29, 93, 148)

V.a. coupe-câble, tranche guidée

Conductor cutter
Wire cutter

cisaille mécanique

cisaille hydraulique

270. corde d'amorçage

Cordage servant à engager un conducteur dans les gorges d'une freineuse ou une câblette de déroulage dans les gorges d'un treuil de déroulage. (5)

Threading line

271. corde de rappel

Cordage utilisé pour récupérer un appareil ou une câblette difficilement accessible. (5, 11, 96)

Trip rope

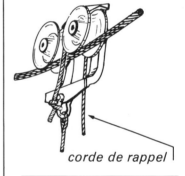

corde de rappel

272. corde de service

Cordage servant à hisser du matériel de ligne et de l'outillage ou à le ramener au sol. (5, 13, 113)

Hand line

273. coupe-câble

Terme générique désignant les outils servant à couper les conducteurs et les câbles de garde. (5)

Cable cutter

cisaille

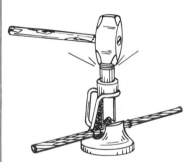

tranche guidée

274. crochet pour conducteur

Crochet utilisé pour soulever un conducteur déroulé et l'approcher de la pince de suspension à laquelle il doit être fixé. (5, 96, 158)

Conductor hook

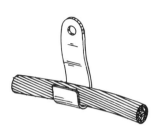

275. crochet pour corde de service

Crochet fixé à une corde de service permettant de suspendre le matériel ou l'outillage.
(5, 138, 158)

Hand-line hook

276. déformation en panier

Dislocation d'un câble caractérisée par le déplacement des couches extérieures de fils ou de torons par rapport aux couches intérieures. (4, 147)

• L'expression « cage d'oiseau » est à éviter.

Birdcaging

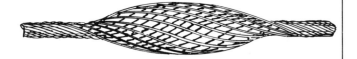

277. déroulage

Opération consistant à mettre un conducteur ou un câble de garde en place en le faisant passer, à l'aide de matériel de traction, du touret où il est enroulé au support où il doit être fixé. (4, 5, 19, 67, 96, 110, 113)

● L'expression « déroulage simultané » désigne l'action de dérouler en même temps soit plusieurs conducteurs, soit le câble de garde et la câblette de déroulage (même si cette dernière n'est pas destinée à être fixée au support).

Stringing

Procédés de déroulage

Déroulage

● manuel

● mécanique

● avec engin mobile de traction	avec touret sur remorque
	avec touret à poste fixe
● avec câblette et engin fixe de traction	sous faible tension (mécanique)
	sous tension (mécanique)

278. déroulage sous faible tension (mécanique) déroulage au sol

Procédé de déroulage avec câblette dans lequel l'effort de traction est tout juste suffisant pour régulariser le débit du conducteur ou du câble de garde déroulé et le maintenir pratiquement au niveau du sol. (4, 5, 67, 110)

● Dans le cas d'une ligne de distribution, la tension doit être suffisante pour maintenir le conducteur ou le câble de garde déroulé légèrement au-dessus du conducteur neutre.

V.a. câblette de déroulage

Slack stringing

279. déroulage sous tension (mécanique)

Procédé de déroulage avec câblette dans lequel l'intensité de l'effort de traction et l'action d'une freineuse maintiennent le conducteur ou le câble de garde déroulé à une certaine hauteur au-dessus du sol. (4, 5, 10, 13, 67)

V.a. câblette de déroulage

Tension stringing

Exemple de déroulage sous tension

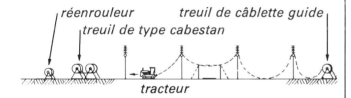

réenrouleur — treuil de câblette guide

treuil de type cabestan

tracteur

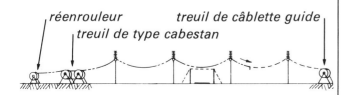

réenrouleur — treuil de câblette guide

treuil de type cabestan

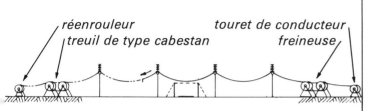

réenrouleur — touret de conducteur

treuil de type cabestan — freineuse

- - - - - - - - - - câblette guide
——— - - ——— câblette de déroulage
——————— conducteur

280. élévateur à nacelle(s)

Engin de positionnement comportant un bras articulé dont le déploiement sert à mettre à niveau une ou deux nacelles. (5, 93, 95, 118, 137)

Bucket truck

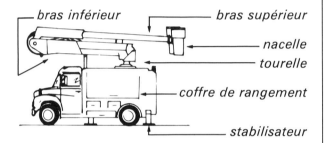

bras inférieur — bras supérieur — nacelle — tourelle — coffre de rangement — stabilisateur

281. émerillon de déroulage

Dispositif d'accrochage des conducteurs ou des câblettes qui empêche, par des roulements à billes, de leur communiquer des effets de torsion au cours du déroulage. (4, 10, 96, 118)

Line swivel link
Line stringing swivel

282. engin de positionnement

Matériel constitué d'un véhicule porteur et d'une ou deux nacelles, utilisé pour effectuer la mise à niveau du personnel chargé d'effectuer des travaux en hauteur sur une ligne aérienne. (5, 160, 161)

● Les principaux engins de positionnement sont l'élévateur à nacelle et la grue-tarière équipée d'une nacelle.

Vehicle-mounted aerial device

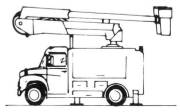

élévateur à nacelle

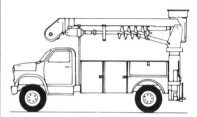

grue-tarière équipée d'une nacelle

283. filin

Cordage mince attaché à une câblette, servant à la hisser pour l'engager dans une poulie de déroulage ou à lui faire franchir une protection aérienne. (5, 29)

● Le terme « ficelle » est à éviter.

Finger line

284. freineuse

Engin constitué d'un bâti et d'un ou plusieurs tambours, ou d'une ou plusieurs poulies, et servant à donner au conducteur ou au câble de garde la tension lui permettant de surplomber les obstacles rencontrés. (4, 6, 10, 67, 110, 111)

• La freineuse se place entre le ou les tourets et le premier support et n'est utilisée qu'en déroulage sous tension. Il peut s'agir d'une « freineuse de type cabestan » (bullwheel tensioner) ou d'une « freineuse à tambour(s) » (drum tensioner).

Tensioner

285. freineuse-treuil

Engin pouvant servir indifféremment comme freineuse ou comme treuil. (5, 158)

Puller-tensioner

286. galet presse-câble

Accessoire de poulie de déroulage utilisé en cas de risque de soulèvement du conducteur, du câble de garde ou de la câblette pour les maintenir dans la gorge de la poulie. (111, 151)

Uplift roller

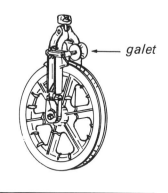

galet

287. grenouille

Pince de tirage exerçant son action de préhension au moyen de mâchoires. (6, 13, 96, 110)

V.a. pince de tirage à coins

Chicago grip

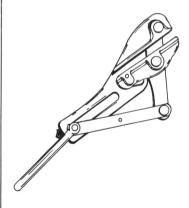

288. manchonnage

Opération consistant à comprimer les manchons sur les conducteurs et les câbles de garde, notamment au moment du déroulage. (5, 110)

• Le terme « jointage » est à éviter.

V.a. presse à manchonner

Compression joint application
Making of compression joints

289. mesurage à mi-portée

Méthode de mesurage de la flèche s'appuyant sur une visée optique du conducteur ou du câble de garde au point milieu de la portée. (5)

• L'expression « méthode de la planche » est à éviter.

V.a. flèche à mi-portée, nivelette

Mid-span sag measurement

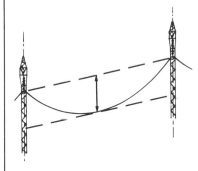

290. mesurage au point bas

Méthode de mesurage de la flèche s'appuyant sur une visée optique horizontale du conducteur ou du câble de garde au point le plus bas de la chaînette. (5)

• L'expression « méthode de la flèche au niveau » est à éviter.

V.a. flèche au point bas

Level sag measurement

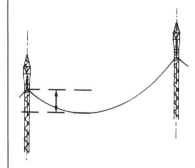

291. mesurage de la flèche

Opération consistant à vérifier la flèche au moyen d'appareils optiques. (4, 67, 96, 110, 112, 157)

• Le terme « mesurage » tend à remplacer celui de « mesure » pour désigner l'action de mesurer.

V.a. réglage, portée de réglage

Sag measurement

292. mise sur pince

Opération qui consiste à mettre un conducteur en place dans la pince de suspension. (4, 10, 110)

• L'expression « mise en pince » est à déconseiller.

Clipping-in
Clamping-in

293. mise sur pince décalée

Méthode de mise sur pince utilisée en terrain accidenté, consistant à installer la pince à une certaine distance de la verticale du point d'accrochage de la chaîne d'isolateurs. (5, 96, 111)

Offset clipping
Offset clamping

294. nacelle

Dispositif dans lequel prend place le personnel chargé d'effectuer des travaux en hauteur ou dans une fouille. (5, 95, 110, 118)

● Les termes « panier » et « bassicot » (basket *ou* bucket) sont à déconseiller pour désigner la nacelle d'un élévateur.

Aerial device

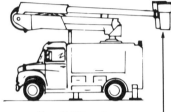

nacelle d'élévateur

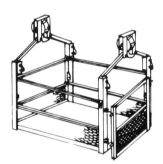

nacelle suspendue

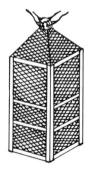

nacelle-cage

295. nacelle-cage

Nacelle qui comporte un toit surmonté d'un anneau permettant de la suspendre au crochet d'un appareil de levage et qui est utilisée principalement pour effectuer des travaux dans des fouilles profondes ou sur les pylônes de traversée. (5)

• L'expression « cage de travail » est à éviter.

Work cage

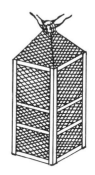

296. nacelle suspendue

Nacelle dont les montants se terminent par des roues qui permettent de la poser et de la faire se déplacer sur un ou plusieurs conducteurs. (5, 110)

• Certaines nacelles suspendues sont motorisées ou automotrices (power conductor car) et d'autres non motorisées.

Les termes « carrosse téléphérique » et « bicycle motorisé » sont à éviter.

Conductor car

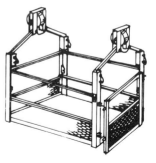

nacelle non motorisée

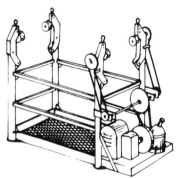

*nacelle motorisée
(ou automotrice)*

297. nivelette

Latte en bois ou en aluminium qui sert en mesurage à mi-portée à établir la ligne de visée correspondant au point milieu de la portée. (4, 5, 11, 67, 111)

● Le terme « planche » est à éviter.

Sag target
Sag board

298. palonnier de tirage
palonnier de déroulage

Pièce ou assemblage de pièces de métal, de forme triangulaire, que l'on interpose entre une câblette de déroulage et les conducteurs d'un faisceau pour faciliter le déroulage simultané de ces derniers. (4, 5, 96, 158)

● L'expression « tablier de tirage » est à éviter.

Running board

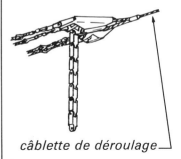

câblette de déroulage

299. pince de tirage

Appareil à mâchoires ou à coins utilisé pour saisir un conducteur dans le but de le tirer, de l'immobiliser ou d'en modifier la tension mécanique. (5, 6, 13, 96, 110)

Conductor grip

300. *pince de tirage à coins*

Pince de tirage exerçant son action de préhension au moyen de coins. (5, 6)

V.a. grenouille

Come-along grip

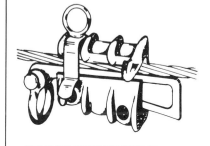

301. *plateau à isolateurs*

Accessoire de levage servant à soutenir une chaîne d'isolateurs pendant qu'elle est hissée du sol au point d'accrochage. (5, 93)

Insulator lifter

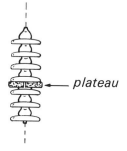

plateau

302. portée de réglage

Portée, généralement la plus longue du
sous-canton de réglage, où l'on règle la
tension du conducteur en mesurant la flèche.
(4, 5, 96, 112)

● L'expression « portée de mesurage » est
à éviter.

V.a. mesurage de la flèche

Sag span
Control span

303. poste dérouleur

Extrémité de la section de ligne à dérouler où
se trouvent les tourets et, en déroulage sous
tension, la freineuse. (4, 10, 110, 111)

Tension site
Tensioning site

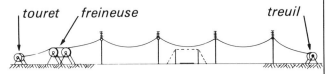

touret *freineuse* *treuil*

poste dérouleur

304. poste tracteur

Extrémité de la section de ligne à dérouler où se trouve le treuil de déroulage. (4, 10, 110, 111)

Pull site
Pulling site

touret   *treuil*

poste tracteur

305. poulie de déroulage

Poulie suspendue temporairement à une chaîne d'isolateurs pour permettre le déroulage d'un ou de plusieurs conducteurs. (4, 13, 67, 96, 112)

Stringing block
Traveler

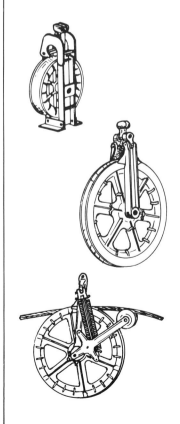

306. *poulie de retenue*

Poulie, se dégageant par simple basculement, utilisée pour maintenir un conducteur ou un câble de garde près du sol après le manchonnage, et pour ralentir ou arrêter sa remontée en place. (5)

● L'expression « poulie basculante » est à déconseiller.

Hold-down block

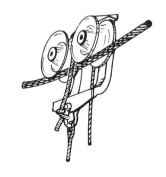

307. *poupée*

Tambour lisse fixé à l'extrémité de l'arbre d'un cabestan et exerçant une traction par friction sur un câble ou un cordage qui s'y enroule quelques tours sans s'y emmagasiner. (5, 22)

V.a. cabestan

Capstan drum

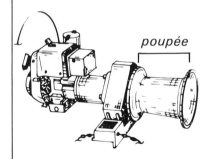

poupée

308. *préréglage*
relevage des câbles

Opération qui consiste à donner aux conducteurs et aux câbles de garde mis sur poulies une tension provisoire destinée à les éloigner du sol pour éviter qu'ils ne s'endommagent ou ne nuisent avant leur réglage. (4, 5, 110)

Pretensioning

309. presse à manchonner

Outil mécanique ou hydraulique utilisé pour comprimer les manchons sur les conducteurs et les câbles de garde. (121)

- L'expression « presse à joint » est à éviter.

V.a. manchonnage

Compressor for splicing conductors

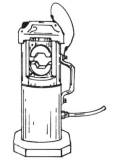

presse à manchonner hydraulique

presse à manchonner hydraulique

presse à manchonner mécanique

310. *protection aérienne*

Dispositif installé entre les supports d'une ligne aérienne en construction et servant à maintenir les conducteurs et les câbles de garde à une hauteur suffisante au-dessus du sol pour éviter qu'ils ne s'endommagent et, parfois, leur permettre de franchir les obstacles. (4, 96, 110)

Crossing structure

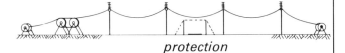

protection

311. *raccord de câblette*

Raccord servant à assurer la liaison entre deux longueurs de câblette guide ou de déroulage. (5)

Pulling-line connector
Pilot-line connector

312. *réenrouleur*

Appareil actionné mécaniquement, servant au réenroulage sur un touret d'une câblette, ou parfois d'un conducteur ou d'un câble de garde. (5, 110, 158)

V.a. treuil de type cabestan

Take-up reel winder

313. réglage

Opération consistant à donner à un conducteur, en s'appuyant sur des mesurages de flèche, la tension mécanique prédéterminée correspondant à la température du conducteur. (4, 6, 10, 112)

● Le terme « mise en flèche » est à déconseiller.

V.a. mise en tension (mécanique)

Sagging

314. remorque porte-touret(s)
remorque dérouleuse

Type de remorque conçue pour transporter un ou plusieurs tourets supportés sur leurs axes et, dans certains cas, pour exercer une action de freinage pendant le déroulage des câbles. (5, 113, 156, 158)

Reel carrier

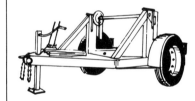

315. section de déroulage

Ensemble de portées le long desquelles
s'effectue le déroulage d'un conducteur.
(4, 96)

• En déroulage sous tension, la section de
déroulage est comprise entre le treuil de
déroulage et la freineuse.

Le terme « sous-canton de déroulage » est
à éviter, parce que la section de déroulage
ne correspond pas nécessairement à une
partie de canton.

Stringing section

316. section de tirage

Ensemble de portées le long desquelles une
traction est exercée sur le conducteur ou
le câble de garde mis sur poulies pour
effectuer le réglage de ce dernier. (5)

• La longueur de la section de tirage peut
être supérieure à celle du sous-canton de
réglage.

Pulling section

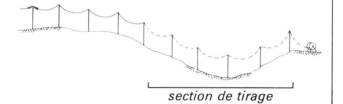

section de tirage

317. sous-canton de réglage

Subdivision d'un canton le long de laquelle s'effectue le réglage d'un conducteur ou d'un câble de garde. (4, 96)

• Les termes « section » et « sous-canton de mise en flèche » sont à éviter dans ce sens.

Sag section

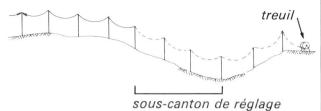

sous-canton de réglage

318. touret

Bobine en métal ou en bois sur laquelle sont enroulés le conducteur ou le câble de garde à dérouler ou les câblettes nécessaires à leur déroulage. (6, 15, 70, 114)

Drum
Reel

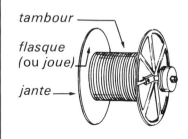

tambour ———

flasque
(ou *joue*)

jante ——

319. tranche guidée

Outil comportant un ciseau mobile qui, frappé d'un coup de masse, sert à sectionner un conducteur ou un câble de garde. (5, 70, 95, 128)

V.a. cisaille, coupe-câble

Hammer-type wire cutter

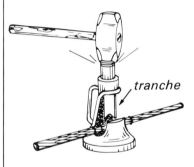

tranche

320. treuil à mâchoires tirfor

Appareil de traction actionné par un levier, comprenant deux paires de mâchoires qui entraînent un câble de façon rectiligne, sans enroulement sur un tambour. (115, 118, 131, 132)

● À l'origine, Tirfor était une marque déposée.

Wire-rope tensioner
Cable-type hoist

321. treuil de câblette guide

Treuil servant au réenroulage de la câblette guide qui entraîne une câblette de déroulage du poste tracteur au poste dérouleur. (5, 111, 158)

Pilot-line winder

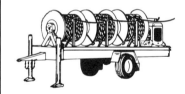

322. treuil de déroulage

Treuil utilisé, seul ou en groupe, pour assurer le déroulage d'un ou de plusieurs conducteurs ou câbles de garde en exerçant une traction suffisante sur une câblette de déroulage. (5, 158)

Puller

323. treuil (de déroulage) à tambour(s)

Treuil de déroulage comportant un ou plusieurs tambours sur lesquels s'emmagasine la câblette qui a assuré le déroulage. (5, 158)

Drum puller

324. treuil (de déroulage) de type cabestan

Treuil de déroulage comportant des roues de traction à gorges multiples par lesquelles la câblette de déroulage passe avant d'aller s'emmagasiner sur un réenrouleur distinct. (5, 120, 148, 158)

Bullwheel puller

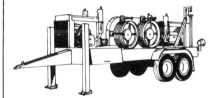

Index des termes français

Chaque terme de l'index est suivi d'un chiffre
qui renvoie au numéro du terme.

A

accélérateur de prise, **159**
*additif, **159**
adjuvant, **159**
affaissement, **189**
agent expansif, **160**
*agrégat, **203**
aiguille vibrante, **161**
aire d'assemblage (au sol), **230**
aire de stockage, **130**
alignement, **131**
allongement, **11**
angle de balancement, **1**
angle de balancement de la chaîne
d'isolateurs, **1**
angle de balancement de la pince de
suspension, **1**
angle de balancement du câble de garde, **1**
angle de frottement interne, **57**
angle de garde, **2**
angle de protection, **2**
arasement, **162**
argile, **50**
assèchement, **188**
assemblage, **231**
axe, **153**

*Expression à éviter ou à déconseiller.

B

balancement, **3**
banc d'emprunt, **186**
banc d'essai d'ancrage, **163**
barre à mine, **164**
bas (de tirage), **267**
*bassicot, **294**
battage, **165**
battre à refus, **219**
*bélier mécanique, **132**
benne preneuse, **216**
béton, **166**
béton à durcissement rapide, **175**
bétonnage, **167**
bétonnage par temps chaud, **167**
bétonnage par temps froid, **167**
bétonnière, **168**
bétonnière portée, **169**
*béton prémélangé, **170**
béton prêt à l'emploi, **170**
*bicycle motorisé, **296**
blindage, **171**
boisage, **171**
boulonnage, **232**
bouteur, **132**
bras inférieur, **280**
bras supérieur, **280**
bride de serrage, **267**
bruit audible, **99**
*bulldozer, **132**

*Expression à éviter ou à déconseiller.

C

*cabestan, **264***
*câble, **133***
*câble de levage, **233, 241***
*câble de relevage de flèche, **241***
câble de tirage, **265*
câble pilote, **266*
*câblette de déroulage, **265***
*câblette de tirage, **265***
*câblette guide, **266***
cage de travail, **295*
cage d'oiseau, **276*
*caisson, **172***
*camion-malaxeur, **169***
*canton, **73***
*canton de pose, **73***
*capacité portante admissible, **55***
*capacité portante limite, **56***
*carrière, **134***
carrosse téléphérique, **296*
*cas de charge, **12***
cas de chargement, **12*
*casque de battage, **174***
caténaire, **74*
*centrale à béton, **173***
*centrale à coulis, **173***
*centrale mobile, **173***
*centre (instantané) de rotation, **51***
*chaînette, **74***
*champ électrique, **100***
*champ électromagnétique, **101***
*champ électrostatique, **100***
*champ magnétique, **102***
*chape, **153***
*chapeau de battage, **165, 174***
*charge, **13***
*charge atmosphérique, **14***
charge axiale, **27*
*charge climatique, **14***
*charge combinée, **14***
charge débalancée, **27*
*charge de construction, **15***

*Expression à éviter ou à déconseiller.

charge de givre, **16**
charge de givre dissymétrique, **17**
charge de givre symétrique, **18**
charge de givre uniforme, **18**
charge d'entretien, **19**
charge de rupture, **20**
charge déséquilibrée, **27**
charge de service, **21**
charge d'essai, **22**
charge de tous les jours, **21**
charge de vent, **23**
charge de verglas, **24**
charge de verglas dissymétrique, **25**
charge de verglas symétrique, **26**
charge de verglas uniforme, **26**
charge dynamique, **13**
charge horizontale longitudinale, **27**
charge horizontale transversale, **28**
charge hypothétique, **43**
charge journalière, **21**
charge limite, **29**
charge longitudinale, **27**
charge statique, **13**
charge transversale, **28**
chargeuse, **135**
chargeuse à chenilles, **135**
charge verticale, **30**
chaussette (de tirage), **267**
chenillard, **152**
chenille, **241**
chenille large, **132**
chenillette, **152**
chevalet de déroulage, **268**
ciment, **175**
ciment en sac, **212**
cisaille (coupe-câble), **269**
cisaille hydraulique, **269**
cisaille mécanique, **269**
cisaillement, **31**
ciseau radial, **227**
claquage, **103**

---

*Expression à éviter ou à déconseiller.

*coefficient de surcharge, **37**
coffrage, **176**
coffre de rangement, **280**
cohésion, **52**
compactage, **177**
*compaction, **177**
compresseur, **178**
compression, **32**
cône d'Abrams, **189**
contournement, **104**
contrainte, **33**
contre-profil à x mètres, **94**
cordage, **136**
cordage torsadé, **136**
cordage tressé, **136**
corde, **136**
corde d'amorçage, **270**
corde de guidage, **234**
corde de rappel, **271**
corde de service, **272**
cordon de soudure, **247**
*corridor, **75**
coulis, **179**
coulis à durcissement rapide, **175**
couloir, **75**
coupe-câble, **273**
couple, **34**
couple de serrage, **34**
courant admissible, **105**
courant de choc, **106**
courant de défaut, **107**
courant de fuite, **108**
couvre-joint, **247**
creux de portée, **78**
crochet, **153**
crochet de levage, **241**
crochet pour conducteur, **274**
crochet pour corde de service, **275**
culot, **180**
culottage, **180**
cure, **181**
curette, **182**

---

*Expression à éviter ou à déconseiller.

D

*dalle, **202**

damage, **177**

danse, **111**

déblai, **183**

déblais de forage, **183**

déformation, **35**

déformation en panier, **276**

dégagement, **4**

déplacement latéral, **53**

dépôt, **137**

déroulage, **277**

déroulage au sol, **278**

déroulage avec câblette et engin fixe
de traction, **277**

déroulage avec engin mobile de
traction, **277**

déroulage avec touret à poste fixe, **277**

déroulage avec touret sur remorque, **277**

déroulage manuel, **277**

déroulage mécanique, **277**

déroulage simultané, **277**

déroulage sous faible tension
(mécanique), **278**

déroulage sous tension (mécanique), **279**

différence de potentiel, **124**

distance, **4**

distance à la masse, **5**

distance au sol, **6**

distance aux obstacles, **7**

distance entre conducteurs, **8**

distance entre phases, **8**

distance maximale, **4**

distance minimale, **4**

*distance phase-phase, **8**

*distance phase-terre, **5**

dosage, **184**

dynamitage, **185**

dynamomètre, **235**

*Expression à éviter ou à déconseiller.

E

eau de gâchage, **201**
écartement, **9**
échauffement, **109**
effet corona, **110**
effet (de) couronne, **110**
effort, **36**
effort d'arrachement, **54**
effort de compression, **36**
effort de soulèvement, **54**
effort horizontal longitudinal, **27**
effort horizontal transversal, **28**
effort longitudinal, **27**
effort tranchant, **36**
effort transversal, **28**
effort vertical, **30**
élévateur à nacelle(s), **280**
élingage, **138**
élingue, **139**
élingue à anneau et à crochet, **139**
élingue à boucles, **139**
élingue sans fin, **139**
émerillon de déroulage, **281**
emprunt, **186**
enfoncer à refus, **219**
engin de positionnement, **282**
entraîneur d'air, **159**
épissure, **140**
éprouvette, **187**
épuisement, **188**
équation de changement d'état, **76**
équipement, **142**
équipement benne preneuse, **142**
équipement de chantier, **141**
équipement de forage, **142**
équipement d'engin de chantier, **142**
équipement sonnette, **142**
équipement vibro-fonceur, **142**
*érection, **251**

---

*Expression à éviter ou à déconseiller.

espacement, **10**
essai au cône d'Abrams, **189**
essai d'affaissement, **189**
*essai d'arrachement, **190**
essai de mise en charge d'ancrage, **190**
essai de mise en charge d'ancrage
    par vérin, **190**
essai de mise en charge de pieu
    d'ancrage, **190**
*excavateur, **216**
excavation, **200**
*excavatrice, **216**

F

facteur de charge, **37**
facteur de sécurité, **38**
facteur d'utilisation, **39**
ferrement, **153**
*ficelle, **283**
filin, **283**
flambage, **40**
flambement, **40**
flambement de flexion, **40**
flambement de torsion, **40**
flambement local, **40**
flasque, **153, 318**
flèche, **77, 236, 239, 241**
flèche à mi-portée, **77**
flèche à treillis, **237**
flèche au milieu de la portée, **77**
*flèche au niveau, **78**
flèche au point bas, **78**
flèche classique, **237**
*flèche conventionnelle, **237**
flèche en treillis, **237**
flèche finale, **79**

*Expression à éviter ou à déconseiller.

flèche initiale, **80**
flèche maximale, **81**
flèche télescopique, **238**
flèche treillis, **237**
fléchette, **239**
fluage, **41**
fonçage, **191**
forage, **192**
forage à l'air, **193**
forage à l'eau, **194**
forage mixte, **195**
forage par percussion, **196**
forage par rotation, **197**
force, **42**
force horizontale longitudinale, **27**
force horizontale transversale, **28**
force longitudinale, **27**
force portante admissible, **55**
force portante limite, **56**
force transversale, **28**
force verticale, **30**
foret, **198**
foreuse, **199**
foreuse-grue-tarière, **246**
*forme, **176**
fouille, **200**
fourche à poteau, **240**
frein, **268**
freineuse, **284**
freineuse à tambour(s), **284**
freineuse de type cabestan, **284**
freineuse-treuil, **285**
frottement, **57**

---

*Expression à éviter ou à déconseiller.

G

gâchée, **201**
galet presse-câble, **286**
*galoche, **155**
galop, **111**
glaise, **50**
godet rétro, **216**
goulotte, **202**
granulat, **203**
gravier, **58, 203**
gravier en sac, **212**
gréage, **145**
grenouille, **287**
*griffe, **267**
grue, **241**
grue à flèche télescopique, **238**
grue à flèche treillis, **237**
grue à tour, **242**
grue à tour sur porteur tout terrain, **242**
grue automotrice, **243**
grue classique, **237**
grue mobile, **244**
grue sur camion, **245**
grue sur chenilles, **243**
grue sur pneus, **243**
grue sur porteur, **245**
grue-tarière, **246**
grue-tarière équipée d'une nacelle, **282**
grue télescopique, **238**

*Expression à éviter ou à déconseiller.

H

*hauteur des conducteurs, **6**
hypothèse de charge, **43**

I

imperméabilisant, **159**
induction électrique, **112**
induction électrostatique, **112**
induction magnétique, **113**
injection, **205**

---

*Expression à éviter ou à déconseiller.

J

jante, **318**
joint, **247**
*jointage, **288**
joint boulonné, **247**
joint bout à bout, **248**
joint de membrure, **247**
joint de pieu, **247**
*joint d'épissure, **247**
joint par couvre-joint, **248**
joint par emboîtement, **249**
joint par recouvrement, **250**
joint soudé, **247, 248**
joue, **318**
jumelles, **165**

L

levage, **251**
levage à la grue, **252**
levage à la perche, **253**
levage à l'avancement, **254**
levage à l'hélicoptère, **255**
levage au mât, **256**
levage mixte, **257**
levage par ensembles, **258**
levage par panneaux, **258**
levage par pivotement, **259**
levage par rotation, **259**
limite d'élasticité, **44**
limite élastique, **44**
linguet, **153**
lissage, **207**
longueur de la portée, **85**

*Expression à éviter ou à déconseiller.

malaxage, 168

manchonnage, 288

marécage, 59

marteau de battage, 213

marteau perforateur, 208

mât de battage, 209

mât de levage, 260

matériau, 143

matériau de déblai, 143

matériau d'emprunt, 143

matériau de remblai, 143

*matériel, 143

matériel de ligne, 144

mèche de sûreté, 185

mesurage, 291

mesurage à mi-portée, 289

mesurage au point bas, 290

mesurage de la flèche, 291

mesure, 291

*méthode de la flèche au niveau, 290

*méthode de la planche, 289

minage, 185

*mise en flèche, 313

mise en œuvre, 210

*mise en pince, 292

mise en place, 210

mise en tension (mécanique), 211

mise sur pince, 292

mise sur pince décalée, 293

moment de flexion, 36

moment d'encastrement, 60

moment de renversement, 61

moment de torsion, 36

montage, 251

montage à la grue, 252

montage à l'avancement, 254

montage à l'hélicoptère, 255

montage au mât, 256

montage d'appareils de levage, 145

montage mixte, 257

*Expression à éviter ou à déconseiller.

montage par ensembles, **258**
montage par pivotement, **259**
montage par rotation, **259**
mortier en sac, **212**
mort-terrain, **62**
mouflage, **148**
moufle, **146**
moufle fixe, **148**
moufle mobile, **148**
mouton, **165, 213**

N

nacelle, **280, 294**
nacelle automotrice, **296**
nacelle-cage, **295**
nacelle d'élévateur, **294**
nacelle motorisée, **296**
nacelle non motorisée, **296**
nacelle suspendue, **296**
*nid d'abeilles, **214**
nid de cailloux, **214**
nid de graviers, **214**
nivelette, **297**

O

oscillation de sous-portée, **114**
oscillation par effet de sillage, **115**

P

paire de moufles, **148**
palan, **147**
palan à corde, **148**
palan à courroie, **149**
palan à levier, **150**
palan à levier à chaîne, **150**
palan à levier à courroie, **150**
palonnier de déroulage, **298**
palonnier de tirage, **298**
*palplanchage, **171**
palplanche, **171**
*panier, **294**
paramètre, **82**

*Expression à éviter ou à déconseiller.

*paramètre de la chaînette, **82***
*paramètre de pose, **82***
*paramètre de réglage, **82***
*paramètre de répartition, **82***
*paramètre du conducteur, **82***
*pelle-curette, **215***
*pelle hydraulique, **216***
*perche à poteau, **261***
*perforation, **116***
*perturbation radioélectrique, **117***
perturbation radiophonique, **117*
*petit matériel, **144***
*pied de flèche, **237***
*pierre, **203***
*pierre broyée, **58***
*pierre concassée, **58***
*pilonnage, **177***
*pilonneuse, **217***
*pince à porter les poteaux, **262***
*pince à poteau, **246***
*pince de tirage, **299***
*pince de tirage à coins, **300***
planche, **297*
*plan et profil, **83***
plaque d'accouplement, **180*
*plaque vibrante, **218***
*plastifiant, **159***
*plateau à isolateurs, **301***
*point bas, **84***
*point de transbordement, **151***
*portée, **85***
portée de mesurage, **302*
*portée de niveau, **86***
*portée dénivelée, **87***
*portée de réglage, **302***
portée déterminante, **88*

*Expression à éviter ou à déconseiller.

*portée équivalente, **88***
*portée poids, **89***
*portée sèche, **90***
*portée vent, **91***
*porteur à chenilles, **152***
*porteur tout terrain, **152***
*poste dérouleur, **303***
*poste tracteur, **304***
potentiel de pas, **123*
potentiel de touche, **122*
*poulie, **153***
poulie basculante, **306*
*poulie coupée, **155***
*poulie de déroulage, **305***
*poulie de renvoi, **154***
*poulie de retenue, **306***
*poulie double, **153***
*poulie ouvrante, **155***
*poulie simple, **153***
*poupée, **307***
*précâblette, **266***
*préréglage, **308***
presse à joint, **309*
*presse à manchonner, **309***
*presse à manchonner hydraulique, **309***
*presse à manchonner mécanique, **309***
*pression, **45***
*profil dans le plan diagonal du support, **92***
*profil en long, **93***
*profil longitudinal, **93***
*profil parallèle, **94***
*protection aérienne, **310***

*Expression à éviter ou à déconseiller.

R

raccord de câblette, **311**
réa, **153, 156**
recépage, **162**
réenrouleur, **312**
refus, **219**
régalage, **220**
réglage, **313**
réglage pied par pied, **221**
relevage des câbles, **308**
remblai, **222**
remblayage, **222**
remorque dérouleuse, **314**
remorque porte-touret(s), **314**
résistance au cisaillement, **63**
résistance en pointe (d'un pieu), **64**
*résistance par frottement latéral
    (d'un pieu),* **65**
retardateur de prise, **159**
ringot, **153**
*roc, **66**
roche, **66**
rouleau vibrant, **223**
roulis, **118**

*Expression à éviter ou à déconseiller.

S

sable, **67, 203**
sable en sac, **212**
sable fin, **67**
sable grossier, **67**
sablière, **134**
sabot, **224**
sangle, **139**
schiste expansé, **203**
*section, **317**
section de déroulage, **315**
section de tirage, **316**
serpentement, **119**
sollicitation, **36**
sonnette, **209**
soulèvement, **68**
*sous-canton de déroulage, **315**
*sous-canton de mise en flèche, **317**
sous-canton de réglage, **317**
*sous-dépôt, **151**
sous-portée, **95**
stabilisateur, **280**
*suce de tirage, **267**
surtension, **120**

*Expression à éviter ou à déconseiller.

T

*tablier de tirage, **298**
tambour, **318**
tarière, **225**
tassement, **69**
tassement différentiel, **70**
température d'exploitation, **46**
tension, **47, 124**
tension composée (d'un réseau
    triphasé), **121**
tension de contact, **122**
*tension de neutre, **126**
tension de pas, **123**
*tension de touche, **122**
tension électrique, **124**
tension finale, **96**
tension initiale, **97**
tension mécanique, **47**
tensionnage, **211**
tensionnement, **211**
*tension parasite, **126**
tension phase-phase, **121**
tension phase-terre, **125**
tension simple (d'un réseau triphasé), **126**
terre, **71**
terre glaise, **50**
tête de flèche, **237**
tige (de forage), **226**
tir à la mèche, **185**
tirfor, **320**
*tir non électrique, **185**
torsion, **48**
tourbière, **72**
tourelle, **280**
touret, **318**
tourne-bille, **263**
tracé, **98**
tracteur, **157**
tracteur à chenilles, **157**
traction, **49**
train de tiges, **226**
tranche guidée, **319**

---

*Expression à éviter ou à déconseiller.

*transporteur, **152**
*trémie, **229**
 trépan, **227**
 treuil, **158, 241**
 treuil à mâchoires, **320**
 treuil à tambour(s), **323**
 treuil de câblette guide, **321**
 treuil de déroulage, **322**
 treuil de déroulage à tambour(s), **323**
 treuil de déroulage de type cabestan, **324**
 treuil de type cabestan, **324**
 tubage, **228**
 tube, **165**
 tube plongeur, **229**

U

*usine de béton, **173**
*usine de coulis, **173**

V

 vermiculite exfoliée, **203**
 vibrateur à béton, **161**
 vibration de pluie, **127**
 vibration éolienne, **128**
 vibration par effet (de) couronne, **129**
 vibro-fonçage, **191**
*visée diagonale, **92**
 voilement, **40**
*voltage, **124**

*Expression à éviter ou à déconseiller.

Index des termes anglais

Chaque terme de l'index est suivi d'un chiffre
qui renvoie au numéro du terme.

A

additive, **159**
admixture, **159**
aerial device, **294**
aggregate, **203**
air drilling, **193**
alignment, **131**
allowable bearing capacity, **55**
all-terrain transporter, **152**
ampacity, **105**
anchor loading test, **190**
anchor pulling test, **190**
anchor test bench, **163**
angle of internal friction, **57**
angle of protection, **2**
angle of shade, **2**
angle pulley, **154**
assembly, **231**
assembly area, **230**
asymmetrical glaze loading, **25**
asymmetrical rime loading, **17**
attachment, **142**
audible noise, **99**
auger, **225**
auger crane, **246**

B

backfill, **222**
bailer, **182**
basket, **294**
batch, **201**
batching, **184**
bearing pressure, **45**
bending moment, **36**
birdcaging, **276**
bit, **198, 227**
blasting, **185**
block, **147, 153**
block and fall, **148**
block and tackle, **148**
bog, **72**
bolted connection, **247**
bolting, **232**
boom, **236**
borehole, **192**
borrow pit, **186**
breakdown, **103**
breaking load, **20**
broken stone, **58**
bucket, **294**
bucket truck, **280**
buckling, **40**
built-up method of erection, **254**
bulldozer, **132**
bull line, **265**
bullwheel puller, **324**
bullwheel tensioner, **284**
butt joint, **248**

C

cable cutter, **273**
cable-type hoist, **320**
caisson, **172**
cant hook, **263**
capstan drum, **307**
capstan hoist, **264**
casing, **228**
catenary, **74**
catenary constant, **82**
catenary constant at sagging, **82**
catenary constant for sag calculations, **82**
catenary constant for spotting, **82**
cement, **175**
centre distance, **10**
centre of rotation, **51**
change-of-state equation, **76**
Chicago grip, **287**
chute, **202**
clamping-in, **292**
clamps, **267**
clay, **50**
clearance, **4**
clearance to ground, **6**
clearance to ground potential, **5**
clearance to obstacles, **7**
clipping-in, **292**
coarse sand, **67**
cohesion, **52**
combined drilling, **195**
combined method of erection, **257**
come-along grip, **300**
come-along hoist, **150**
compacting, **177**
compaction, **177**
compression, **32**
compression force, **36**
compression joint application, **288**
compressor, **178**
compressor for splicing conductors, **309**

concrete, **166**
concrete chute, **202**
concrete mixer, **168**
concrete mixing plant, **173**
concrete vibrator, **161**
concreting, **167**
conductor car, **296**
conductor cutter, **269**
conductor grip, **299**
conductor hook, **274**
conductor spacing, **8**
connection, **247**
construction block, **155**
construction load, **15**
contact voltage, **122**
continuous current-carrying capacity, **105**
control span, **302**
conventional boom, **237**
conventional crane, **237**
corona, **110**
corona effect, **110**
corona-induced vibration, **129**
crane, **241**
crane erection, **252**
crawler tractor, **157**
crawler-type loader, **135**
creep, **41**
crossing structure, **310**
crushed stone, **58**
curing, **181**
current-carrying capacity, **105**
cutting-off, **162**

D

dancing, **111**
dead ground, **62**
deformation, **35**
depot, **137**
dewatering, **188**
diagonal cross-section of tower, **92**
diagonal leg profile, **92**
differential settlement, **70**
digging bar, **164**
drill bit, **198, 227**
driller, **199**
drill hole, **192**
drilling, **192**
drilling bit, **198, 227**
drilling machine, **199**
drill pipe string, **226**
driving, **165, 191**
drum, **318**
drum puller, **323**
drum tensioner, **284**
dynamiting, **185**
dynamometer, **235**

E

elastic limit, **44**
electric field, **100**
electric flux density, **112**
electromagnetic field, **101**
elongation, **11**
eolian vibration, **128**
erection, **251**
erection by crane, **252**
erection by gin-pole, **256**
erection by helicopter, **255**
erection by up-ending, **259**
*erection with pre-assembled
   components,* **254**
everyday load, **21**
excavated material, **183**
excavation, **183, 200**
excavator, **216**
expansion agent, **160**

F

failure load, **20**
fault current, **107**
fibre rope, **136**
fill, **222**
filling, **222**
final sag, **79**
final tension, **96**
fine sand, **67**
finger line, **283**
fixed-end moment, **60**
flashover, **104**
flat-web sling, **139**
flexural buckling, **40**
flexural moment, **36**
force, **42**
formwork, **176**
foundation pit, **200**
friction, **57**
front-end loader, **135**

G

galloping, **111**
gin-pole, **260**
gin-pole method of erection, **256**
glaze loading, **24**
gravel, **58**
gravity-type mixer, **168**
ground clearance, **6**
grout, **179**
grouting, **205**
grout mixing plant, **173**

H

hammer, **213**
hammer drill, **208**
hammer-type wire cutter, **319**
hand line, **272**
hand-line hook, **275**
helicopter erection, **255**
hoist, **147**
hoisting cable, **233**
hoisting line, **233**
hold-down block, **306**
hollow drill rod, **226**
honeycombing, **214**
horizontal span, **85**
Howe wire tool, **149**

I

inclined span, **87**
individual positioning (of footings), **221**
initial sag, **80**
initial tension, **97**
inserted joint, **249**
insulator lifter, **301**
interlocking sheet piling, **171**

J

jib, **239**
joint, **247**

K

kellem grip, **267**

L

lap joint, **250**
large tracks, **132**
lateral displacement, **53**
lead line, **266**
leakage current, **108**
let-off reel stand, **268**
leveling, **220**
level sag, **78**
level sag measurement, **290**
level span, **86**
lever-operated hoist, **150**
limit load, **29**
line corridor, **75**
line equipment, **144**
line route, **98**
line stringing swivel, **281**
line swivel link, **281**
line to ground voltage, **125**
line to line voltage, **121**
line to neutral voltage, **126**
live-metal to ground clearance, **5**
load, **13**
loader, **135**
load factor, **37**
loading, **13**
loading assumptions, **43**
loading case, **12**
local buckling, **40**
longitudinal cross-section, **93**
longitudinal load, **27**
longitudinal profile, **93**
low point, **84**

M

machine drill, **208**
magnetic field, **102**
magnetic flux density, **113**
maintenance load, **19**
making of compression joints, **288**
marsh, **59**
material, **143**
maximum sag of a conductor, **81**
mid-span sag, **77**
mid-span sag measurement, **289**
mixing, **168**
mixing water, **201**
mobile crane, **244**
mobile plant, **173**
moment at fixed end, **60**
monkey, **213**
mule, **240**
muskeg, **72**

N

nonuniform glaze loading, **25**
nonuniform rime loading, **17**

O

off-road carrier, **152**
off-road vehicle, **152**
offset clamping, **293**
offset clipping, **293**
offset profile, **94**
operating temperature, **46**
overburden, **62**
overturning moment, **61**
overvoltage, **120**

P

pace voltage, **123**
peat bog, **72**
peavey, **263**
percussion drilling, **196**
percussive drilling, **196**
phase spacing, **8**
phase to ground voltage, **125**
phase to neutral voltage, **126**
phase to phase voltage, **121**
pike pole, **261**
piking, **253**
pile cap, **174**
pile driver, **209**
pile shoe, **224**
pilot line, **266**
pilot-line connector, **311**
pilot-line winder, **321**
pit, **134**
placing, **210**
plan and profile, **83**
pneumatic drill, **208**
point resistance of a pile, **64**
pole claws, **246**
power conductor car, **296**
prepacked dry concrete, **212**
pressure, **45**
pretensioning, **308**
prime mover, **157**
puller, **322**
puller-tensioner, **285**
pulley, **147**
pulley wheel, **156**
pulling line, **265**
pulling-line connector, **311**
pulling rope, **265**
pulling section, **316**
pulling site, **304**
pull site, **304**
puncture, **116**

Q

quarry, **134**
quick-hardening concrete, **175**
quick-hardening grout, **175**

R

radio interference, **117**
rain vibration, **127**
ram, **213**
ramming, **177**
ratchet hoist, **150**
ready-mixed concrete, **170**
reel, **318**
reel carrier, **314**
refusal, **219**
resistance due to lateral friction
    (on a pile), **65**
resistance due to side friction
    (on a pile), **65**
rigging, **145**
rime loading, **16**
rock, **66**
rolling, **118**
rotary drilling, **197**
ruling span, **88**
running board, **298**

S

safety factor, **38**
sag, **77**
sag board, **297**
sagging, **313**
sag measurement, **291**
sag section, **317**
sag span, **302**
sag target, **297**
sand, **67**
section, **73**
sectional erection, **258**
section method of erection, **258**
self-propelled crane, **243**
separation, **9**
settlement, **69**
shear, **31**
shear force, **36**
shear strength, **63**
sheave, **156**
sheeting, **171**
shielding angle, **2**
shock current, **106**
shoe, **224**
side slope at x meters, **94**
sinking, **191**
site equipment, **141**
slack stringing, **278**
sling, **139**
slinging, **138**
sloping span, **87**
slump test, **189**
smoothing, **207**
snaking, **119**
snatch block, **155**
socketing, **180**
soil, **71**
soil tamper, **217**

spacing, **10**
span, **85**
span length, **85**
splice, **140**
spoon, **215**
spout, **202**
step voltage, **123**
stocking-type pulling grip, **267**
strain, **35, 36**
stress, **33, 36**
striking-off, **162**
stringing, **277**
stringing block, **305**
stringing section, **315**
subspan, **95**
subspan oscillation, **114**
swamp, **59**
swing, **3**
swing angle, **1**
symmetrical glaze loading, **26**
symmetrical rime loading, **18**

tackle block, **146**
tag line, **234**
take-up reel winder, **312**
tamper, **217**
telescopic boom, **238**
telescopic crane, **238**
temperature rise, **109**
tensiometer, **235**
tension, **47, 49**
tensioner, **284**
tension indicator, **235**
tensioning, **211**
tensioning site, **303**
tension site, **303**
tension stringing, **279**
test load, **22**
test sample, **187**
test specimen, **187**
threading line, **270**
timber carrier, **262**
timbering, **171**
toe resistance of a pile, **64**
torque, **34**
torsion, **48**
torsional buckling, **40**
torsional moment, **36**
touch voltage, **122**
tower crane, **242**
tracked carrier, **152**
tractor, **157**
transfer area, **151**
transverse load, **28**
traveler, **305**
tremie, **229**
trip rope, **271**
truck crane, **245**
truck mixer, **169**
tup, **213**

U

ultimate bearing capacity, **56**
unequal glaze loading, **25**
unequal rime loading, **17**
uniform glaze loading, **26**
uniform rime loading, **18**
unloading area, **130**
up-ending method of erection, **259**
uplift, **68**
uplift force, **54**
uplift roller, **286**
use factor, **39**
utilization factor, **39**
utilization rate, **39**

V

vehicle-mounted aerial device, **282**
vertical load, **30**
vibrating needle, **161**
vibrating plate, **218**
vibrating roller, **223**
vibratory plate compactor, **218**
vibratory roller, **223**
voltage, **124**

W

*wake-induced oscillation, **115***
*weather loading, **14***
*weight span, **89***
*welded connection, **247***
*wet drilling, **194***
*winch, **158***
*wind load, **23***
*wind span, **91***
*wind vibration, **128***
*wire cutter, **269***
*wire rope, **133***
*wire-rope tensioner, **320***
*work cage, **295***
*working load, **21***

Références

1. COMMISSION ÉLECTROTECHNIQUE INTERNATIONALE (CEI), *Vocabulaire électrotechnique international, publication 50 (25) : Production, transport et distribution de l'énergie électrique,* 2e éd., Genève, 1965, 81 p.

2. MERLET, R., *Technologie d'électricité générale et professionnelle,* tome II, Paris, Dunod, 1972, 685 p.

3. VINET, Louise, *Vocabulaire anglais-français et français-anglais des lignes de transport d'électricité,* mémoire de maîtrise, faculté des études supérieures de l'Université de Montréal, Montréal, 1976, 126 p.

4. AVRIL, Charles, *Construction des lignes aériennes à haute tension,* Paris, Eyrolles, 1974, 623 p.

5. HYDRO-QUÉBEC, Comité de référence des lignes aériennes.

6. CONFÉRENCE INTERNATIONALE DES GRANDS RÉSEAUX ÉLECTRIQUES À HAUTE TENSION (CIGRÉ), *Vocabulaire des lignes aériennes* (français, anglais, espagnol), Paris, Électricité de France (EDF), 1972, 16 p.

7. MIET, M., *Étude et équipement des lignes aériennes (moyenne tension),* s.l., 1952, 2 vol.

8. HYDRO-QUÉBEC, direction Appareillage et Entretien, *Fiche d'inventaire — Support — Lignes de transport,* Montréal, 1976, 59 p.

9. *Encyclopédie pratique de la construction et du bâtiment, tome III : Travaux publics,* sous la direction de Bernard DUBUISSON, Paris, Quillet, 1968, 1 405 p.

10. HAUTEFEUILLE, Pierre, PORCHERON, Yves, *Lignes aériennes,* Techniques de l'ingénieur, fascicules D 640, D 640,1 et D 640,2, Paris, 1973, 86 p.

11. *Encyclopédie pratique de mécanique et d'électricité, tome III : Électricité et électronique,* sous la direction d'Henri DESARCES, Paris, Quillet, 1965, 1 183 p.
12. FRANCE, ministère de l'Industrie, *Conditions techniques auxquelles doivent satisfaire les distributions d'énergie électrique — Arrêté interministériel du 26 mai 1978,* Paris, Journal officiel de la République française, nº 1112, 1978, 209 p.
13. ÉLECTRICITÉ DE FRANCE (EDF), *Travaux sous tension,* s.l.n.d., 2 vol.
14. *Trésor de la langue française,* Paris, Centre national de la recherche scientifique (CNRS), 1971-.
15. SIZAIRE, Pierre, *Dictionnaire technique de la construction électrique,* Paris, Eyrolles, 1968, 168 p.
16. HYDRO-QUÉBEC, service Rédaction et Terminologie, *Vocabulaire du programme d'équipement,* projet, Montréal, 1979, 29 p.
17. ASSOCIATION FRANÇAISE DE NORMALISATION (AFNOR), *Travaux d'électrification rurale — Cahier des prescriptions communes,* NF C 11-200, avril 1974, 101 p.
18. MEURS, François, *Étude des lignes aériennes,* s.l., Électricité de France (EDF), 1963, 534 p.
19. *Encyclopédie des sciences industrielles Quillet, tome II : Électricité — Électronique — Applications,* Paris, Quillet, 1973, 804 p.
20. ACADÉMIE D'ARCHITECTURE, *Lexique des termes du bâtiment,* Paris, Masson, 1963, 211 p.
21. ASSOCIATION FRANÇAISE DE NORMALISATION (AFNOR), *Poteaux en bois,* NF C 67-100, décembre 1955, 23 p.
22. ÉLECTRICITÉ DE FRANCE (EDF), *Guide technique de la distribution — Réalisation des ouvrages, partie B.*

23. UNION INTERNATIONALE DES PRODUC-
TEURS ET DISTRIBUTEURS D'ÉNERGIE
ÉLECTRIQUE (UNIPEDE), *Terminologie
utilisée dans les statistiques de l'industrie
électrique,* juin 1975, 197 p.

24. COMMISSION ÉLECTROTECHNIQUE
INTERNATIONALE (CEI), *Comité d'études
n° 11 — Recommandations pour les lignes
aériennes,* janvier 1982, 40 p.

25. FÉDÉRATION NATIONALE DE SAUVE-
GARDE DES SITES ET ENSEMBLES
MONUMENTAUX, *L'électricité, la
technique et vous,* Paris, s.d., 14 p.

26. TUCOULAT, Pierre, FERRON, Marcel,
*Mémento du constructeur de lignes
aériennes de télécommunications,* Paris,
Eyrolles, 1972, 131 p.

27. BARBIER, Maurice, CARDIERGUES,
Roger, STOSKOPF, Gustave, *Dictionnaire
technique du bâtiment et des travaux
publics,* Paris, Eyrolles, 1968, 146 p.

28. ÉLECTRICITÉ DE FRANCE (EDF), *Les
poteaux en bois et leur contrôle sur les
lignes de distribution d'énergie électrique,*
Paris, 1964, 39 p.

29. *Grand Larousse encyclopédique,* Paris,
Larousse, 1960, 10 vol. et 2 suppl.

30. ASSOCIATION CANADIENNE DE NORMA-
LISATION (ACNOR), *Réseaux aériens et
réseaux souterrains,* C 22.3 N° 1-M1979.

31. ASSOCIATION FRANÇAISE DE NORMALI-
SATION (AFNOR), *Semelle métallique
(SM) pour contre-fiche en bois et poteau
en bois haubané,* NF C 66-439, juillet 1974,
1 p.

32. POIGNON, Pierre, *Petit dictionnaire
technique,* Sarreguemines (Sarre), Marcel
Pierron, s.d., 32 p.

33. ASSOCIATION FRANÇAISE DE NORMALI-SATION (AFNOR), *Ferrures pour lignes aériennes — Tendeurs à lanterne (TL) pour hauban souple,* NF C 66-484, juin 1955, 1 p.
34. ASSOCIATION FRANÇAISE DE NORMALI-SATION (AFNOR), *Tirefonds ordinaires pour rails Vignole,* NF F 50-003, mars 1971, 4 p.
35. *Catalogue Slater n° 50,* s.l.n.d., 131 p.
36. ASSOCIATION FRANÇAISE DE NORMALI-SATION (AFNOR), *Boulonnerie courante du commerce — Éléments d'assemblage — Nomenclature multilingue,* NF E 27-000, décembre 1972, 53 p.
37. ASSOCIATION FRANÇAISE DE NORMALI-SATION (AFNOR), *Ferrures — Plaquettes de serrage sur poteaux cylindriques (PR),* NF C 66-433, juillet 1974, 2 p.
38. ASSOCIATION FRANÇAISE DE NORMALI-SATION (AFNOR), *Ferrures — Colliers pour fixation de ferrures sur poteaux cylindriques (CNU),* NF C 66-427, décembre 1973, 2 p.
39. ASSOCIATION FRANÇAISE DE NORMALI-SATION (AFNOR), *Ferrures — Crochet de hauban (CR),* NF C 66-466, août 1978, 1 p.
40. MOUREAU, Magdeleine, BRACE, Gerald, *Dictionnaire technique du pétrole anglais-français,* 2e éd., Paris, Technip, 1979, 946 p.
41. WÜSTER, Eugen, *Dictionnaire multilingue de la machine-outil — Volume de base anglais-français,* Londres, Technical Press, 1968.
42. COMET, Michel, *Cerclage — ficelage des emballages et charges unitaires,* Industries et techniques, n° 437, 10 novembre 1980, p. 121-132.
43. *Catalogue Lacal 700, Pole Line Hardware,* s.d., 268 p.

44. DEWEERDT, Jacques, *Vocabulaire fonda-mental de technologie,* Paris, Gamma, 1973, 268 p.

45. ASSOCIATION FRANÇAISE DE NORMALI-SATION (AFNOR), *Ferrures — Tiges de jumelage et de moisage (TG),* NF C 66-441, août 1978, 2 p.

46. FRANCE, Postes et Télécommunications, *Instructions sur la construction et l'entre-tien des lignes aériennes de réseau, postes, téléphones et télégraphes,* 1976.

47. *Catalogue A.B. Chance n° 1079,* septembre 1980.

48. ÉLECTRICITÉ DE FRANCE (EDF), *Notices techniques du service du transport, fascicule n° 4 : Les supports de lignes aériennes,* 1977, 77 p.

49. ASSOCIATION FRANÇAISE DE NORMALI-SATION (AFNOR), *Définitions et classifi-cation des produits sidérurgiques par formes et dimensions,* NF A 40-001, mai 1969, 19 p.

50. HYDRO-QUÉBEC, direction Appareillage et Entretien, *Normes d'entretien des lignes de transport.*

51. THERRIEN, Serge, *Première mondiale à LG 3 — Construction d'une ligne avec pylônes à chaînette,* En grande, vol. VII, n° 9, mi-mai 1980, p. 3-5.

52. GEORGES, R., DESCAMPS, Cl., *Usage des pylônes tubulaires en association avec des poteaux en béton précontraint dans la construction des lignes 70 kV de la province du Luxembourg,* Électricité, n° 169, décembre 1979, p. 39-45.

53. ÉLECTRICITÉ DE FRANCE (EDF), *Notices techniques du service du transport, fascicule n° 5 : Les conducteurs de lignes aériennes,* 1977, 42 p.

54. ASSOCIATION FRANÇAISE DE NORMALI-
SATION (AFNOR), *Fils et câbles en cuivre
dur — Fils et câbles en bronze,*
NF C 34-110, mai 1980, 27 p.

55. ORGANISATION INTERNATIONALE DE
NORMALISATION (ISO), *Câbles en acier
— Vocabulaire,* ISO 2532 (E/F/R), 1974,
46 p.

56. ÉLECTRICITÉ DE FRANCE (EDF), *Répertoire des câbles aériens,* Paris, avril 1956,
56 p.

57. PÉLISSIER, René, *Les réseaux d'énergie
électrique,* Paris, Dunod, 1971, 4 vol.

58. ASSOCIATION FRANÇAISE DE NORMALI-
SATION (AFNOR), *Installations électriques
à basse tension,* NF C 15-100, juillet 1977,
p.v.

59. ÉLECTRICITÉ DE FRANCE (EDF), *Notices
techniques du service du transport,
fascicule n° 6 : Les divers matériels
d'équipement des lignes aériennes,* 1977,
47 p.

60. ÉLECTRICITÉ DE FRANCE (EDF), Service
des transports d'énergie, *Les accessoires
pour isolateurs de suspension,* 1950,
188 p.

61. HYDRO-QUÉBEC, service Audiovisuel,
La danse des conducteurs, scénario de
film, décembre 1979, 12 p.

62. ST-LOUIS, Michel, personne-ressource,
chef de groupe, direction Projets de lignes
de transport, service Études et Normali-
sation, Hydro-Québec.

63. MOREAU, M., RIGOËT, P., DALLE, B.,
*Conception des lignes aériennes en vue
d'éviter les ruptures en cascade,* Conférence internationale des grands réseaux
électriques à haute tension (CIGRÉ),
compte rendu des travaux de la 27e
session, tome 1, rapport 22-08, Paris,
1978, 8 p.

64. CARADOT, Marc, *Les portiques en bois pour lignes aériennes,* Revue générale de l'électricité, tome 75, n° 1, janvier 1966, p. 53-65.
65. HYDRO-QUÉBEC, direction Distribution, *Normes de distribution — Réseau aérien.*
66. HYDRO-QUÉBEC, direction Distribution, *Normes de distribution — Réseau souterrain.*
67. KURTZ, Edwin B., SHOEMAKER, Thomas E., *The Lineman's and Cableman's Handbook,* Sixth Edition, Toronto, McGraw-Hill, 1981, 812 p.
68. MOREAU, Marcel, personne-ressource, chef de la division Études du matériel de lignes (EML), service Études du centre d'équipement du réseau de transport, Électricité de France (EDF).
69. OFFICE DE LA LANGUE FRANÇAISE (OLF), *Vocabulaire des boulons (anglais-français),* Éditeur officiel du Québec, édition provisoire, 1982, 55 p.
70. *Dictionnaire encyclopédique Quillet,* Paris, Quillet, 1977, 10 vol. et suppl.
71. HYDRO-QUÉBEC, direction Distribution, *Commentaires de la Distribution sur le vocabulaire adopté par le sous-comité sur les ferrures pour conducteurs électriques,* août 1981, 2 p.
72. HYDRO-QUÉBEC, direction Distribution, service Formation technique, *Travail sous tension avec des outils isolants sur le réseau moyenne tension, D 32-11 — Tome I : À partir d'un poteau,* janvier 1982.
73. ASSOCIATION FRANÇAISE DE NORMALISATION (AFNOR), *Raccords pour lignes aériennes — Raccords de jonction, de dérivation et d'extrémité,* NF C 66-800, août 1978, 19 p.

74. LOUET, Maurice, *Câbles aériens isolés,* Techniques de l'ingénieur, fascicule D 643, 1981, 9 p.

75. ÉLECTRICITÉ DE FRANCE (EDF), service Études du C.E.R.T., *Recueil des spécifications techniques des chaînes isolantes et du matériel d'équipement pour les lignes de transport de 63 kV à 400 kV,* mai 1979.

76. ÉLECTRICITÉ DE FRANCE (EDF), *Vingt-cinq ans d'études et d'essais sur le matériel électrique, partie II,* Bulletin de la Direction des Études et Recherches — Série B : Réseaux électriques, Matériels électriques, n° 3-4, 1972, p. 23-118.

77. ÉLECTRICITÉ DE FRANCE (EDF), service Normalisation et Brevets, *Entretoises pour conducteurs de lignes aériennes à haute tension,* Spécification technique HN 66-S-41, Clamart, France, janvier 1982, 20 p.

78. COMMISSION ÉLECTROTECHNIQUE INTERNATIONALE (CEI), *Comité d'étude n° 36 : Isolateurs (projet),* décembre 1977, 15 p.

79. ASSOCIATION FRANÇAISE DE NORMALISATION (AFNOR), *Isolateurs et matériel pour lignes aériennes — Isolateurs en matière céramique ou en verre destinés aux lignes aériennes de tension nominale supérieure à 1 000 volts,* NF C 66-330, juillet 1978, 43 p.

80. BEAUMONT, B., *Les isolateurs composites des lignes aériennes à très haute tension,* E.D.F. Bulletin de la Direction des Études et Recherches — Série B : Réseaux électriques, Matériels électriques, n° 4, 1979, 19 p.

81. ASSOCIATION FRANÇAISE DE NORMALISATION (AFNOR), *Isolateurs et matériel pour lignes aériennes — Isolateurs en matière céramique pour tensions inférieures à 1 000 volts — Poulies hautes (PH),* NF C 66-101, septembre 1975, 2 p.

82. ASSOCIATION FRANÇAISE DE NORMALI-SATION (AFNOR), *Isolateurs en porce-laine — Noix de traction (NT)*, C 66-141, juin 1955, 1 p.

83. Catalogue Slater nº 361, *Pole Line Hardware and Line Construction Specialities for Communications and Electric Power Lines.*

84. ASSOCIATION FRANÇAISE DE NORMALI-SATION (AFNOR), *Ferrures — Douilles DF pour fixation d'isolateurs*, NF C 66-415, juillet 1981, 2 p.

85. ASSOCIATION FRANÇAISE DE NORMALI-SATION (AFNOR), *Isolateurs et matériel pour lignes aériennes — Assemblages à rotule et logement de rotule des éléments de chaînes d'isolateurs*, NF C 66-495, octobre 1974, 23 p.

86. COPPERWELD INDUSTRIES INTERNA-TIONAL INC., *Engineering Data*, s.l.n.d.

87. Catalogue Canadian Ohio Brass nº 61, *Transmission and Distribution Hardware*, 1974, 63 p.

88. INSTITUT NATIONAL DE RECHERCHE ET DE SÉCURITÉ, *Renseignements pratiques concernant les mises à la terre*, note nº 662-57-69, Paris, 1969, 4 p.

89. *Catalogue Continental Electric Co.*, s.l.n.d.

90. INSTITUT NATIONAL DE RECHERCHE ET DE SÉCURITÉ, *Mises à la terre et prises de terre*, note nº 282-28-62, Paris, 1962.

91. ALCAN, *Alliages d'aluminium pour conducteurs aériens Arvidal*, Toronto, 1977, 22 p.

92. COMMISSION ÉLECTROTECHNIQUE INTERNATIONALE (CEI), *Comité d'études nº 20 — Câbles électriques*, avril 1982, 20 p.

93. COMMISSION ÉLECTROTECHNIQUE INTERNATIONALE (CEI), *Terminologie utilisée pour l'outillage et le matériel à utiliser dans les travaux sous tension*, publication 743, 1re éd., Genève, 1983, 70 p.

94. ÉLECTRICITÉ DE FRANCE (EDF), *Notices techniques du service du transport, fascicule n° 1 : Conditions auxquelles doivent satisfaire les lignes aériennes du réseau de transport,* 1977, 116 p.

95. *Grand Dictionnaire encyclopédique Larousse,* Paris, Larousse, 1982- .

96. HYDRO-QUÉBEC, direction Construction, *Méthode de travail — Pose des câbles — Lignes à 735 kV,* Montréal, juin 1982, 237 p.

97. CONSEIL INTERNATIONAL DE LA LANGUE FRANÇAISE, *Vocabulaire du béton,* Paris, Eyrolles, 1976, 191 p.

98. HYDRO-QUÉBEC, vice-présidence Environnement, *Vocabulaire des études d'impact sur l'environnement à Hydro-Québec,* Montréal, éd. provisoire, août 1981.

99. HYDRO-QUÉBEC, service Rédaction et Terminologie, *Étude des termes corridor, couloir, axe, tracé et emprise (projet),* février 1979, 6 p. et annexes.

100. MÉTRO, A., *Terminologie forestière : sciences forestières, technologie, pratiques et produits forestiers,* CILF, 1975, 432 p.

101. ASSOCIATION FRANÇAISE DE NORMALI-SATION (AFNOR), *Résistance des matériaux et essais mécaniques des matériaux — Terminologie,* FD X 10-011, mars 1958, 34 p.

102. MATHIEU, J.P., KASTLER, A., FLEURY, P., *Dictionnaire de physique,* Paris, Masson et Eyrolles, 1983, 568 p.

103. JACKS, G.V., TAVERNIER, R., BOALCH, D.H., *Vocabulaire multilingue de la science du sol,* Organisation des Nations unies par l'alimentation et l'agriculture, 1960, 430 p.

104. LEGRAND, Jacques, *Résistance au cisaillement,* Techniques de l'ingénieur, fascicule C 216, Paris, 1976, 16 p.

105. LEGRAND, Jacques, *Compressibilité. Consolidation. Tassement,* Techniques de l'ingénieur, fascicule C 214, Paris, 1976, 13 p.

106. COMMISSION ÉLECTROTECHNIQUE INTERNATIONALE (CEI), *Dictionnaire CEI multilingue de l'électricité,* Genève, CEI, 1983, vol. 1, 892 p.

107. HYDRO-QUÉBEC, direction Communications, *Le point sur les effets des lignes à haute tension,* Montréal, décembre 1982, 56 p.

108. BEAUCHEMIN, Roger, DUTIL, Antonio, HUNG, Marc S.Y., *L'environnement et les phénomènes électriques associés aux réseaux à haute tension* — document de travail, Montréal, Hydro-Québec, juin 1979, 43 p.

109. VERDON, Richard, personne-ressource, vice-présidence Environnement, service Écologie biophysique, Hydro-Québec.

110. ÉLECTRICITÉ DE FRANCE (EDF), *Notices techniques au service du transport, fascicule n⁰ 7 : La construction des lignes aériennes,* 1977, 136 p.

111. IEEE POWER ENGINEERING SOCIETY, *IEEE Guide to the Installation of Overhead Transmission Line Conductors,* IEEE Std 524-1980, New York, The Institute of Electrical and Electronics Engineers Inc., 1980, 56 p.

112. CARPENTIER, H., *Lignes électriques T.H.T. : Étude mécanique et construction des lignes aériennes,* Paris, Éditions Eyrolles, 1955, 250 p.

113. ÉLECTRICITÉ DE FRANCE (EDF), Service prévention et sécurité et Direction de la distribution, *Mise en œuvre du câble torsadé pour réseaux aériens basse tension,* tiré à part du n⁰ 61 de la revue Vigilance, 12 p.

114. ASSOCIATION FRANÇAISE DE NORMALI-
SATION (AFNOR), *Tourets en bois pour
conducteurs et câbles isolés,* NF B 55-007,
décembre 1965, 14 p.

115. ASSOCIATION FRANÇAISE DE NORMALI-
SATION (AFNOR), *Appareils de levage
simples dits de série — Définitions,*
NF E 52-040, décembre 1981, 8 p.

116. TUCOULAT, Pierre, *Construction des lignes
aériennes,* Paris, Eyrolles, 1967, 358 p.

117. FORESTIER, René, *Lexique de construction
métallique et de résistance des matériaux,*
Neuilly-sur-Seine, Office technique pour
l'utilisation de l'acier, 1976, 234 p.

118. SYNDICAT DES INDUSTRIES DE MATÉRIELS
DE MANUTENTION, *Encyclopédie de la
manutention, volume 2 : Levage,* s.l.,
AFNOR-SOMIA, 1980, 392 p.

119. HYDRO-QUÉBEC, direction Construction,
*Méthode de travail — Assemblage et levage
des pylônes, lignes à 735 kV,* Montréal,
février 1983, 184 p.

120. BINACHON, Henri, *Appareils de levage
lourd,* Techniques de l'ingénieur, fascicules
A 940, A 940,1 et A 940,2, Paris, s.d., 42 p.

121. RIGOET, P. et REIX, F., *La construction des
lignes à 40 000 volts du réseau de transport
d'énergie,* Travaux, juin 1981, p. 112-116.

122. AUGOYARD, Jean-Pierre et LECOQ, Alain,
Grues de chantier, Techniques de l'ingénieur, fascicules C 120 et C 121, Paris, 1982,
28 p.

123. *Lamy transport, tome 4 : Manutention,*
Paris, Lamy, 1976, 438 p.

124. ASSOCIATION FRANÇAISE DE NORMALI-
SATION (AFNOR), *Grues mobiles —
Généralités — Classification,* NF E 52-084,
décembre 1980, 10 p.

125. OFFICE DE LA LANGUE FRANÇAISE (OLF),
*Lexique des engins de levage (anglais-
français),* édition provisoire, Montréal, 1979,
116 p.

126. DUBUC, Robert, *Matériel et équipement,* C'est-à-dire, vol. X, n° 5, 1978, p. 9-10.

127. INSTITUT NATIONAL DE RECHERCHE ET DE SÉCURITÉ, *Manuels de sécurité — Engins de chantier, volume 4 : Grues mobiles,* Paris, mars 1976, 88 p.

128. GABAY, A. et ZEMP, J., *Les engins mécaniques de chantier,* Spes, Lausanne et Bordas, Paris, 3ᵉ éd., 1971, 390 p.

129. HYDRO-QUÉBEC, direction Construction, *Méthode de travail — Fondations,* Montréal, novembre 1981, 93 p.

130. HYDRO-QUÉBEC, direction Construction, *Méthode de travail — Ancrage des haubans,* Montréal, novembre 1982, 119 p.

131. CAPRON, Gustave et BOISSELIER, Jackie, *Dictionnaire de prévention (bâtiment — travaux publics),* Paris, Société corporative d'hygiène et de sécurité dans les chantiers, 3ᵉ éd., 1976, 242 p.

132. QUEFFELEC, Corentin, *Outils de levage à bras,* Techniques de l'ingénieur, fascicule A 938, Paris, 1969, 16 p.

133. COSTES, Jean, *Grues distributrices,* Eyrolles, Paris, 1973, 142 p.

134. *Encyclopaedia Universalis,* Paris, Encyclopaedia Universalis France, 1968, 20 vol.

135. HYDRO-QUÉBEC, direction Construction, *Méthode de travail — Pylônes tubulaires — Lignes à 735 kV,* Montréal, octobre 1983, 284 p.

136. LINGER, Jean, *Les chantiers,* 2 tomes, Paris, Eyrolles, 1971.

137. Documentation Egi sur les élévateurs à nacelles et les foreuses-grues, s.d.

138. *Matériel de prévention et sécurité pour réseaux et installations électriques — Catalogue général,* CATU S.A., Bagneux, France, 1984, 148 p.

139. GOUVERNEMENT DU QUÉBEC, Office de la langue française, *Répertoire des avis linguistiques et terminologiques,* Québec, Éditeur officiel du Québec, 1982, 104 p.

140. ASSOCIATION FRANÇAISE DE NORMALISATION (AFNOR), *Élingues plates en sangles tissées en textiles chimiques,* NF G 36-030, octobre 1982, 16 p.

141. Publicité Liebherr, *Travaux,* avril 1984, p. 9-16.

142. GOUVERNEMENT DU QUÉBEC, ministère du Travail, de la Main-d'œuvre et de la Sécurité du revenu, *Manuel du gréeur* (traduction de « Rigging Manual », publié par la Construction Safety Association of Ontario), Québec, Éditeur officiel du Québec, 1981, 196 p.

143. BUREAU INTERNATIONAL DU TRAVAIL (BIT), *Classification internationale type des professions,* Genève, édition révisée, 1968, 416 p.

144. GOUVERNEMENT DU CANADA, ministère de la Main-d'œuvre et de l'Immigration, *Classification canadienne descriptive des professions, tome 1 : Classification et définitions,* Ottawa, 1971, 1 494 p.

145. *Encyclopédie internationale des sciences et des techniques,* sous la direction de R.G. MORVAN, Paris, Groupe des Presses de la Cité, 1969, 10 vol.

146. CHOPPY, Jacques, *Dictionnaire de l'industrie routière,* Paris, Éditions Eyrolles, 3e édition, 1981, 144 p.

147. ASSOCIATION FRANÇAISE DE NORMALISATION (AFNOR), *Critères de dépose des câbles,* NF E 52-402, décembre 1975, 28 p.

148. Catalogues CEV de matériel pour la pose des câbles, Ecquevilly, France, s.d.

149. BACHY, Pierre, BARBEDETTE, Robert et LEENHARDT, Gérald, *Sondages. Forages,* Techniques de l'ingénieur, fascicule C 650, Paris, s.d., 16 p.

150. COLLAS, Jean et HAVARD, Michel, *Guide de géotechnique — Lexique et essais,* collection Les Dossiers de la construction, Paris, Éditions Eyrolles, 1983, 136 p.

151. *Matériel pour câble torsadé moyenne tension — Document n° 381,* Dervaux, Paris, 1974, 16 p.

152. GALABRU, Paul, *Équipement général des chantiers et terrassements,* Paris, Éditions Eyrolles, 1962, 548 p.

153. GALABRU, Paul, *Les fondations et les souterrains,* Paris, Éditions Eyrolles, 1963, 518 p.

154. ASSOCIATION NATIONALE POUR LA FORMATION PROFESSIONNELLE DES ADULTES (AFPA) et GROUPEMENT PROFESSIONNEL PARITAIRE POUR LA FORMATION CONTINUE DANS LES INDUSTRIES DU BÂTIMENT ET DES TRAVAUX PUBLICS (GFC-BTP), *Initiation au vocabulaire du bâtiment et des travaux publics,* Éditions Eyrolles, 1979?, 172 p.

155. *Encyclopédie pratique de la construction et du bâtiment, tome I,* sous la direction de Bernard DUBUISSON, Paris, Quillet, 1968, 1 358 p.

156. Revue *Travaux,* juillet-août 1982, 108 p.

157. ASSOCIATION FRANÇAISE DE NORMALISATION (AFNOR), *Instruments de mesurage — Vocabulaire,* NF X 07-001, mai 1970, 20 p.

158. Documentation Timberland Equipment et Sherman & Reilly sur le matériel de pose des conducteurs, s.d.

159. BOUSQUET, Pierre, *Pieux et palplanches,* Techniques de l'ingénieur, fascicules C 140, C 141 et C 142, Paris, 1980, 32 p.

160. *Les engins de positionnement à la Distribution,* Vigilance, n° 53, mars 1976, p. 21-36.

161. PARNY, R. de et OBÉ, J.P., *Matériels et méthodes de travaux sous tension,* Revue générale de l'électricité, tome 86, n° 2, février 1977, p. 159-166.

Autres documents consultés

EDF — GDF, Service central, Approvisionnements et Marchés, *Nomenclature des magasins,* Paris, EDF — GDF, 1952, 209 p.

FROIDEVAUX, J., *Documentation franco-anglaise de l'énergie électrique,* Paris, Dunod, 1955, 179 p.

HYDRO-QUÉBEC, Comité des normes d'entretien des lignes de transport, *Travaux sous tension,* document préliminaire.

HYDRO-QUÉBEC, direction Magasins, service Codification et Normalisation, *Avis d'articles normalisés.*

HYDRO-QUÉBEC, service Rédaction et Terminologie, études terminologiques non publiées.

Table des matières

Avant-propos	5
Notes préliminaires	9
1. Ingénierie	13
1.1 Généralités	15
1.2 Calculs	25
1.2.1 Calculs des supports	27
1.2.2 Calculs des fondations	45
1.3 Portées	57
1.4 Phénomènes	71
2. Construction	85
2.1 Généralités	87
2.2 Fondations et ancrages	103
2.3 Mise en place des supports	135
2.4 Pose des conducteurs	153
Index des termes français	185
Index des termes anglais	209
Références	231
Autres documents consultés	249

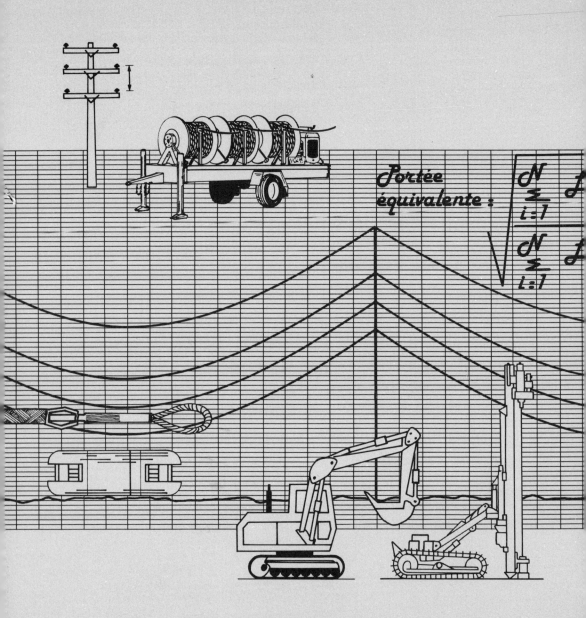

Portée équivalente : $\sqrt{\dfrac{\displaystyle\sum_{i=1}^{N} \mathcal{L}}{\displaystyle\sum_{i=1}^{N} \mathcal{L}}}$